まんがでわかる

7つの習慣

THE SEVEN HABITS OF
HIGHLY EFFECTIVE PEOPLE

〔まんが〕小山鹿梨子
〔監 修〕フランクリン・コヴィー・ジャパン

宝島社

まんがでわかる7つの習慣 目次

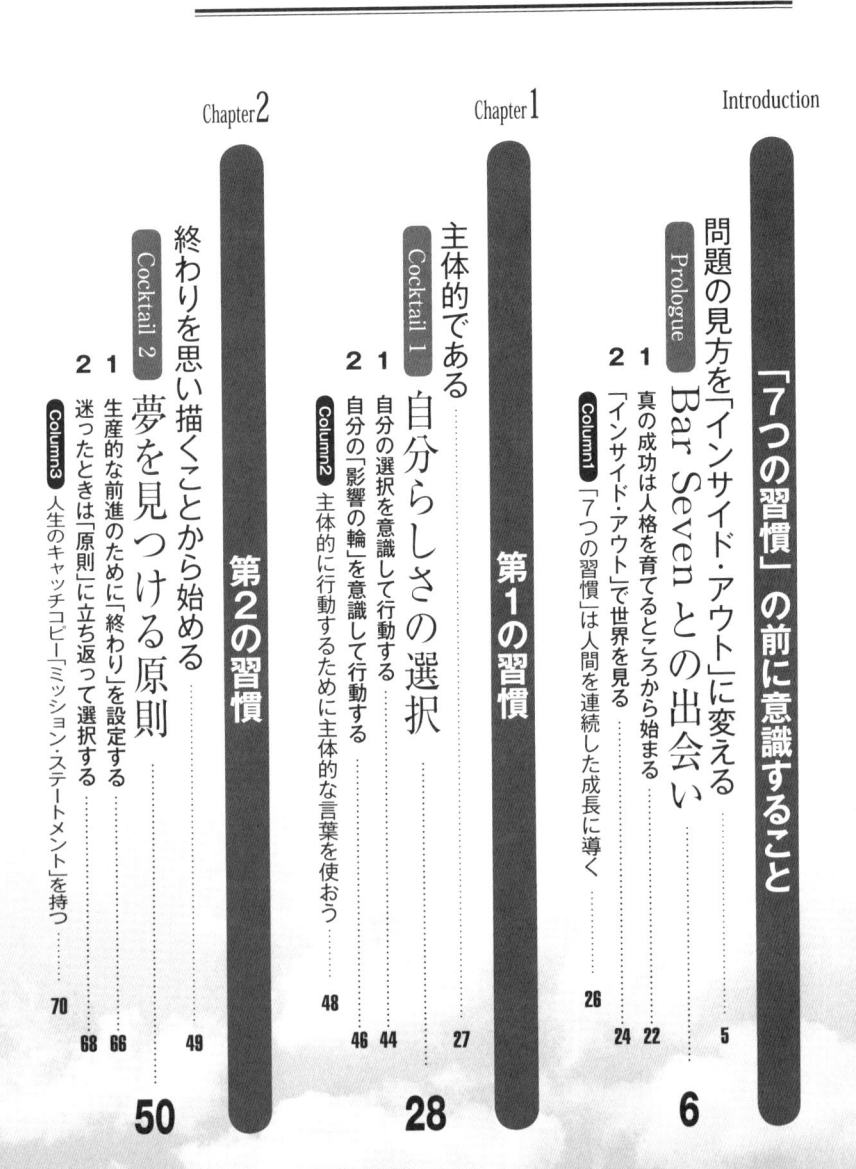

Chapter3

第3の習慣

Chapter4

第4の習慣

Chapter5

第5の習慣

おもな登場人物

中田 歩
本編の主人公。亡き父が開いていたバーを再開すべく、バー「セブン」にてバーテンダーの修業を開始する。

正木零司
バー「セブン」のマスター。熱意に押されて、歩をアシスタントとして雇うことを決める。

八神 貴臣
有名なイタリアン・レストラン「オッターヴァ・ヴォーチェ」のオーナーで、「セブン」の常連。

編集
宮下雅子
神崎宏則（山神制作研究所）
宮本裕生（office LIP）
取材・文
牧原大二、乙野隆彦
（山神制作研究所）
本文デザイン・DTP
遠藤嘉浩、遠藤明美
（株式会社遠藤デザイン）

※このまんがはフィクションです。登場する人物、団体名などはすべて架空のものです。
※本書では、監修者のアドバイスを基に、「7つの習慣」の要点を一部大胆に、わかりやすくまとめて紹介しています。

Introduction

「7つの習慣」の前に意識すること
問題の見方を「インサイド・アウト」に変える

「7つの習慣」は人生を変える。
だがその前に、前提として知っておくべきことがある。
それは、あなたの周囲の問題は、「あなたが問題だと思っているから問題なのだ」という真実だ。

アルバイト募集!!
☆経験不問 ☆ 相談
うーん…
CAFE & BAR
アルバイト募集!!
なんか違うんだよなぁ…
天国のお父さんへ
私もいつの間にか23歳になりました
中田《なかた》 歩《あゆみ》
フリーター
バーだったお父さんのお店はいま
お母さんが人を雇ってカフェとして営業しています
でも私は…
やっぱりお父さんのいたあの頃みたいに
バーとして復活させたい
それから上京して早2カ月
昼間アルバイトをしながらバーテンダーの修業を積めるお店を探しているのですが…
はぁ…
なかなかいいお店って見つからないな…
これで30軒めだよ…
見つかっても断られてばっかり…
うちは女性はいらない

Bar Seven
こんなところにバーが…
キィ…
いらっしゃいませ
正木《まさき》 零司《れいじ》
バー「セブン」マスター
何か飲まれますか
ス…
コンソメスープ…
お父さんのお店と同じだ…
あ
※サイドカーを…

※サイドカー：ブランデーにホワイトキュラソー（リキュールの一種）、レモンジュースを加えた爽やかな味わいのカクテル

キュッ
シャカ
シャカ
どうぞ…
スッ
コク…

この味
お父さんのカクテルに
そっくり…
爽やかな甘みと
キリッとした
ブランデーの香りが
完璧…
ここしか
ない！
マスター！
私をこの店で
雇ってください！
え…？
お給料は
いりません！
掃除でも皿洗いでも
何でもします！
私
どうしても
バーテンダーに
なりたいんです！
…急にそんなこと
言われても…
マスター
考えてみたら？
この子
何か
思うところが
ありそうだ
八神《やがみ》 貴臣《たかおみ》
常連客・レストランオーナー

…じゃあ
僕のアシスタントくらいなら…
よろしくお願いします！
こうして私はこのバー「セブン」でバーテンダーへの第一歩を踏み出し…
あっという間に2週間！
お手伝いにも慣れてきたし
お客さんもいい人ばかりで
お給料もちょっとだけもらえることに…♡
うまくやっていけそうです――
キィ…

※ソルティードッグ：ウォッカにグレープフルーツジュースを合わせたカクテル。縁に塩をつけたグラスで飲む

むっ・・・
いえ シェーカーは マスターが…
私が 女だからって バカにして おっさんの何が 偉いっていうのよ
ぐぐっ
ね？ お味は まともで…
※次は スクリュー ドライバー くれ
イラッ
スッ
…柑橘系が お好きなんですね 今日は お仕事のお帰りで…
ちょっと 黙っててくれ
女と話すなら 別の店に行くよ

※スクリュードライバー：ウォッカに
オレンジジュースを加えた口当たり
のよいカクテル

ブツ ブツ…
…っ
か〜〜〜
ムカつく！
こっちがせっかく話しかけてるのに！
おい
注文だ
おい
…
きこえないフリ
…
まあ…
あんな失礼なヤツでもお客さんだしな…
何ですか！
トゲ トゲ
歩ちゃん
僕が対応しよう

何よ
人によって
態度変えるなんて
嫌なヤツ！
キュッ
お疲れさまでした
今日は嫌なお客が来て
困っちゃいましたね
…

…歩ちゃん
そういうことは僕の前では二度と口にしないでくれ
えっ…
嫌な客なんて世の中にいない
だからもし君がそう思うのなら君に問題がある
で でもあの人は最初から不機嫌で…
そんな考え方じゃいつまで経っても独立なんてできないよ
でも…
ははっ
相変わらずマスターは自分に厳しいな
あぁ ついお見苦しいところを…

八神さん…自分に厳しいってどういう…？
つまりこういうことだ
多くの人は自分の都合のいいように物事を見て「いいこと」と「悪いこと」を判断している
娘が反抗期で言うことをきかない…
親はなんで私のことをわかってくれないの？
そういう人はいつでも「できなかった理由」を人のせい環境のせいにする
先程の君のようにね
私たちは、世界をあるがままに見ているのではなく、
私たちのあるがままの世界を見ているのであり、
自分自身が条件づけされた状態で世界を見ているのである。
…相手と意見が合わないと、相手のほうが
間違っていると瞬間的に思う。
――『完訳 7つの習慣 人格主義の回復』P.22――
うまく会話できなかったことは自分のコミュニケーション力が低いせいなのに
そこには目をつむって君は相手を責めたんだ
…！

物の見方を変えて自分が変わらなければ周囲の物事も変わらない
こういう考え方を「インサイド・アウト」なんて言うそうだけどな
インサイド・アウトとは、
一言で言えば、自分自身の内面から
始めるという意味である。
内面のもっとも奥深くにあるパラダイム、人格、
動機を見つめることから始めるのである。
――『完訳 7つの習慣 人格主義の回復』P.43――
問題はいつも自分の中にある
そういう姿勢をいつもマスターは自分に課しているから「自分に厳しい」と言ったんだ
俺もイタリアンの店持ってるからわかるよ
マナーの悪い客態度の悪い客もたまには来る
だけどそこでスマートな対応ができれば
お店の格もお客の評価も高くなるんだよね
まー実際は追い出しちゃうこともあるけど
くすっ

君は本物になりたいんだろう？
もっと自分が変わる覚悟を強く持つ必要があるかもしれないな
…
「自分が変わる」か――
数日後――
ソルティードッグ
き来た
カチッ
かしこまりました

―そうか
席に着いたからといって
くつろぐタイミング
だってわけじゃないんだ
こちらの都合で
話しかけておいて
楽しんでくれない
相手を責めるなんて
ふう
間違ってた
にこっ
こんばんは
お忙しそうですね
…ああ
仕事でうまく
いかないことがあってね…
もうひと段落
したんですか？
うーんまあ
また明日早く
会社に行かないと
いけないけど…

ここでは ゆっくりしていって くださいね
…
…この間は 悪かったね ちょっと仕事で イライラしていた ものだから…
いえ それに気づけなかった 私が未熟だったんです
でも
ありがとう ございます

そうか
自分が変われば
人は変わるんだ
何を得るのか
すべては
自分次第なんだ
お父さん
私
素敵なバーテンダーに
なれるように
がんばります
見守っててね

Introduction-1

真の成功は人格を育てることから始まる

テクニックで手に入れる成功は長続きしない

「自分の才能で何か成功したい」と誰もが思う。そのため、会話・交渉のテクニックや知識を身に付けようとしたり、ネットやテレビで見た他人のやり方をただ真似しようとする人がいる。

だが、こんな表面的なテクニックを磨くだけで、人生を豊かにすることはできない。樹木を育てるとき、枝葉の形を整えれば、一時的に見映えはよくなるが、長続きはしない。〝立派さ〟を維持するには、いつまでも枝葉を刈り続ける必要があるし、格好だけの枝葉は、強い風や気温の変化に負けて折れてしまう。本当に見事な樹木を育てるには、根や幹を強くすることが大事なのだ。

根や幹は、人間でいえば「人格」だとコヴィーはいう。謙虚、勇気、正義、勤勉、節制など、人間として真に価値のある人格を手に入れる。こうした「人格主義」の発想に基づいて自分を変えることが、本当の意味での成功と幸せを呼ぶのだ。

7つの習慣で人格は高められる

人格の大切さを理解しても、人はすぐには変われないと感じる人が多い。だが、諦《あきら》めることはない。人格を向上させるのも勉強やスポーツと同じ。失敗しながら、練習していけばいいのだ。結果を急がず、1つずつ問題点を解消していけば、やがて人格は少しずつ成長していくのだ。

そのような練習を続ける秘訣は、毎日の歯磨きのように、人格を高める行動を習慣として身に付けてしまうこと。人がある行動を習慣として身に付けるには、「知識」（なぜ必要か、何をするか）、「スキル」（どのようにするか）、「意欲」（習慣にしたい、という思い）の3要素が必要だ。7つの習慣は、習慣として実践することで人生を変えていける行動のアドバイス。知識、スキル、そして意欲の3つの要素を頭に入れ、7つの習慣を身に付けていこう。

習慣によって人格を磨き真の成功を目指す

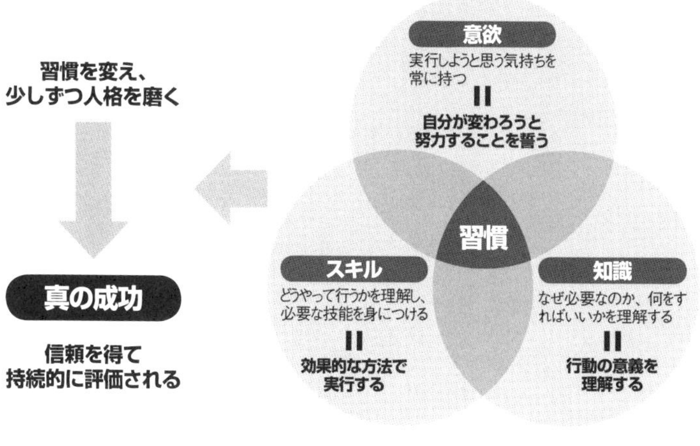

習慣を変え、
少しずつ人格を磨く
真の成功
信頼を得て
持続的に評価される
意欲
実行しようと思う気持ちを
常に持つ
＝
自分が変わろうと
努力することを誓う
習慣
スキル
どうやって行うかを理解し、
必要な技能を身につける
＝
効果的な方法で
実行する
知識
なぜ必要なのか、何をす
ればいいかを理解する
＝
行動の意義を
理解する

「インサイド・アウト」で世界を見る

人は物事を自分の見たいように見ている

他人の言動を見て「間違っている」と、つい批判したくなるときがある。だが、本当は相手のほうが正しいのかもしれない。人は誰しも、過去の経験や知識を参照して世界を見ている。どんなに「自分は客観的な人間だ」と信じる人でも「事象を自分が見たいように見ている」という呪縛からは逃れられない。

この真理に気付かない人は、自分の正しさを疑わないから、物の見方が狭い。仕事で失敗すれば、職場の雰囲気や上司のせいにする。自分が理解されないことを人のせいにして、相手を責める。結果、ますます周囲から避けられて、成長の機会を逃してしまう。これは、「See（物の見方）→Do（物の見方から来る行動）→Get（行動の結果、得るもの）」の循環が悪いせいだ。いい結果を得たいなら、出発点である「See」を変えるしかない。

「See（物の見方）」にあたるものが「パラダイム」。世の中の物事を見るときに基準となる考え方のことだ。人は皆自分のパラダイムを持っていて、それが行動や態度の源にある。もし自分が思うような生活を送れていないなら、自分のパラダイムに問題がある。

「パラダイムシフト」で人生は変わる

では、どんなパラダイムに転換（シフト）すべきか。そこでコヴィーは、原則に基づくパラダイムを持つべきだという。原則とは、国や時代を超えて誰もがその価値を認めるもの。たとえば、公正さ、誠実、勇気などだ。

自分は正しい、相手が間違っているというパラダイムを持ち続けていたら何も変わらない。他人や組織、環境など自分の外側（アウトサイド）が変わらないと結果も出ないと思うのが「アウトサイド・イン」という考え方だ。そうではなく、自分の内面（インサイド）、つまり考え・見方・人格・動機が原則に合っているかに気を付け、行動を変えることで結果を引き寄せようとする意識が大切だ。この姿勢を「インサイド・アウト」といい、コヴィーは7つの習慣の前提として重要視している。

すべては自分の見方次第

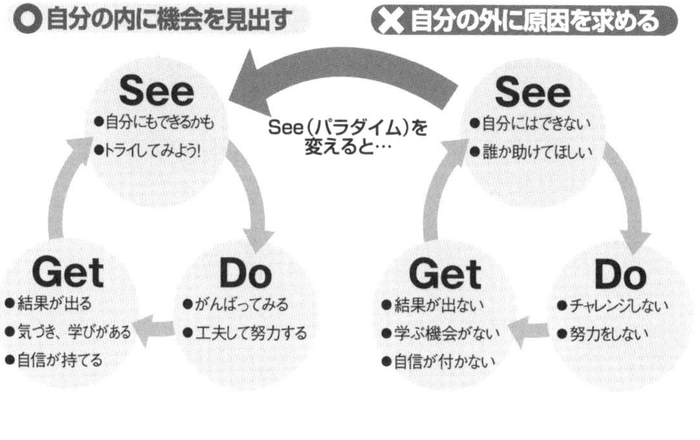
○自分の内に機会を見出す
×自分の外に原因を求める
See
●自分にもできるかも
●トライしてみよう！
Do
●がんばってみる
●工夫して努力する
Get
●結果が出る
●気づき、学びがある
●自信が持てる
See（パラダイム）を
変えると…
See
●自分にはできない
●誰か助けてほしい
Do
●チャレンジしない
●努力をしない
Get
●結果が出ない
●学ぶ機会がない
●自信が付かない

COLUMN
1

「7つの習慣」は人間を連続した成長に導く

7つの習慣は、人間の成長に大切な7つの心がけを体系化した思想だ。それぞれの習慣は下図のような関係にある。

人間は赤ん坊のときは、すべてを他者に依存する存在だ。そこから自立に向かうが、真の意味での自立を達成するには、第1、第2、第3の習慣が必要だ。これが「私的成功」だ。

自立した人間は、尊重し合い、違いを認め合いながら、高度な依存関係（相互依存）を築くことができる。社会で生きる人間としての理想形で、これが「公的成功」となる。その達成に必要なのが第4、第5、第6の習慣だ。さらに、知力や体力などを養い、人間としての外枠を広げていくのが第7の習慣。7つの習慣は相互に影響し合っており、1つの力を伸ばせば、他の力も成長する。大切なのは、私的成功があって初めて公的成功もあるということだ。

第7の習慣　刃を研ぐ
相互依存
第5の習慣
まず理解に徹し、そして理解される
公的成功
第6の習慣
シナジーを創り出す
第4の習慣
Win-Winを考える
自立
第3の習慣
最優先事項を優先する
私的成功
第1の習慣
主体的である
第2の習慣
終わりを思い描くことから始める
依存

Chapter

1

第1の習慣 主体的である

「7つの習慣」で成功に至るために、まず必要なのは
「主体的であること」。ささいな行動でも、
感情的な反応に身を委ねたり、受け身で行動するのではなく、
自分で振る舞いを選択する意識だ。

※ジンリッキー：ジンにソーダ、生のライムを搾って合わせた、ややビターでスッキリしたカクテル

エヘヘ
マスターに教えてもらったんです
カクテル大全
数日前
カクテルのレシピ教えてください!
…とりあえずこれでも読む?
実家でバーを開きたいんだっけ?
はい
亡くなった父の店を再開するのが私の夢なんです
…それだけ?
はい!私の夢です
ふーん…

キュッ
マスター
歩ちゃんは
どう?
しばらく
使ってみて
ききみみ
はい
とてもよく働くし
勉強熱心だし
お店としては
助かっています
よかった
ただ…
正直
先が楽しみかと
言われると
難しいかも
しれませんね
え
あー
わかる

「夢」なんて言ってるけど何も考えてなさそうだもんな
ええ〜〜〜〜!!
数時間後――
やあ
いらっしゃいませ…
どよーん
どーも
三村《みむら》 育也《いくや》
一条の部下
?
今日は部下を連れてきたんだ
部署の飲み会で帰る方向が一緒でね

キイッ
おっ
八神くん
ドキッ
一条さん
こんばんは
この人は
すごいぞ
あのイタリアン
レストラン
「オッターヴァ・
ヴォーチェ」の
オーナーなんだ
ほんとですか？
その若さで？
すごい！
まあ
おかげさまで
お2人とも
同じ会社？
ああ
三村くんだ
彼はとても優秀で
出世が期待されて
いるんだ
やめて
くださいよ～
あ
ちょっと
トイレに

とは言ったものの…
彼はなぁ
？
いまどきの若者っていうのかね
どうにも冷めていてね
スペックは高いヤツなんだが
指示したことしかやらないし意見を求めても消極的だし…
なるべく声をかけているつもりなんだが煙たがられているんだよなぁ
定時なんで帰ります
おつかれ様でーーす
残業組
最近そういう人が多いって話は聞きますね
本当は教えたいことはたくさんあるんだが…
おっ戻ってきたか
じゃ私も失礼…

八神さん お店のこと 教えてくださいよ
若いのに あんな有名店を 開けるなんて すごいですよね
いやぁ 駆け出しの頃は 大変でしたよ
1年目はほとんど 寝られなかったし…
やっぱり 成功する人は 最初から 違うんだなぁ
あなたの上司も 理解ありそうですけど…
ええ? 鬱陶《うっとう》しいだけですよ いちいち構ってきて
流行らないんですよね ああいうの
というと?
こんな会社で 小さい仕事したって 何にもならないでしょう?
俺どうせなら 八神さんみたいに 大きなことがしたいんです

へぇ…
君はどうして今日この店に来たの？
「仕事」ですよ
上司との飲みなんて命令されたからついてきただけで
つまり
主体的な意図はゼロ
と…
当然じゃないですか
本当なら帰ってゲームしたいし
君
本当にそんなことで成功するつもりなの？
？
俺はやるときはやりますよ
ただいまの会社で本気を出しても…

コト…
憧れていると言ってくれたから先輩めいたことを言わせてもらうけど…
君は何でも受け身なんだね
ただ状況に流されて行動しているだけじゃないか
は？
上司がやれと言ったらやる
やるなと言ったらやらない
「明日から会社に来なくていい」と言われたら辞めるのかい？
カラ…
…
それは…
自分の力が発揮できないことを環境や状況のせいにするのはただのわがまま
それじゃぁ「何もしません」と言っているのと同じだ
「与えられた環境でどう振る舞うか」でしか人間は前に進むことはできないのに
…人間に内在する可能性を引き出せる。その最大の可能性とは、刺激と反応の間に存在する選択の自由なのである。
——『完訳 7つの習慣 人格主義の回復』P.81——

君はいかにも「上司からは何も学ぶことがない」という口ぶりだったけど
「彼から何も学ばない」という選択をしたのは君じゃないのか？
つまり「行動しない」ことを選択しておいて
「いい芽が出ない」と文句を言っているだけなんだよ

主体性とは、…人間として、
自分の人生の責任を
引き受けることも意味する。
私たちの行動は、周りの状況ではなく、
自分自身の決定と選択の結果である。
――『完訳 7つの習慣 人格主義の回復』P.81――

言われるままに振る舞うのではいつまで経っても自分らしい人生なんか引き寄せることはできない
どんな些細《ささい》なことでも「自分で選ぶ」ことを意識しないとね

……ふーん
そんなものですかね

ひょこ
やあ
こんな時間か
もう帰るか
ありがとう
パタン
あー…
説教みたいに
なっちゃったな
恥ずかしい
…
さっきから
どうした？
…私
見込みない
ですか？
何だ急に
だってさっき
マスターと…

ああ
聞いてたのか
私は
一生懸命やっている
つもりですけど…
うん
君はがんばっている
と思う
だけど
あえて聞くよ
君はマスターから
何を学びたいんだ？
何を学ぶために
ここにいるんだ？
ですから
バーテンダーに…
だけど
「バーテンダーに
なりたいから
カクテルのレシピを
教えてくれ」だなんて
あまりに当たり前
すぎないか？
…？
歩ちゃん

僕はね
バーに立つ人が目指す道は主に3つあると思う
1つめはカクテルの腕を磨く道
大会で賞を取ることを目指している人もいる
2つめはバーの経営に成功する道
そして3つめはカクテル以外のもので勝負してバーを成功させる道…
君はお父さんのバーを再現したいと言っているけれど
君自身がつくりたいお店はないの？
私自身のお店…？
考えたこともなかった…
店づくりっていうのは店主の価値観そのものだからね
人から教わったものに「正解」なんてないんだよ

Bar
Seve
マスターは腕もあるし
バー経営も
軌道に乗せている
ネットにも本にも
書かれていないことで
彼から学べることは
たくさんあるはずだよ
カクテル大全
それを
「カクテルのレシピを
教えてくれ」だなんて…
そんな意識だから
「つまらない」と
マスターは言ったのさ
高望みをしても
得られるものはない
手が届かないものは
つかめないからね
雨が降って
きたことに
文句を言っても
雨が止まないのと
同じことだ
でも
さっきの彼は
それに気づいて
いなかった
かといって
受け身で人と
関わっているだけでは
自分らしい成果は
得られない
自分らしく
成長するためには
自分の周りに
積極的に働きかけて
いかないと
…行動を起こすのはあなたの責任である。
…自ら責任を引き受けて行動を起こすのか、
それとも周りから動かされるのか、
どちらの道を選ぶかによって、成長や
成功の機会も大きく変わるのである。
──『完訳 7つの習慣 人格主義の回復』P.89──

結局
1人の人間が
成果を出すために
できることって
自分で意識して
影響力を使うことしか
できないからね
数日後
キィ
よいしょっと
…あれ
歩ちゃんは?
ああ
週1日は
休ませてほしいと…
えっ
あんなに
熱心だったのに?

ええ
「まだ自分はバー業界のことを何もわかっていない」
「いまから1つのお店に染まってしまうのではなくいろんなお店を回ってお店づくりについて考えたい」
と…
へえーっ
でもお店大丈夫なの？
ええ
忙しくない曜日を選んで休んでくれていますから
ふーん
カラン

Chapter 1-1

自分の選択を意識して行動する

自分の性格や行動は自分の選択の積み重ねの結果

第1の習慣は「主体的である」。「主体的である」とは、「人間として自分の人生に対する責任をとること」だとコヴィーはいう。自分の人生の主役は自分であり、どんな人生にするかを決めるのは自分以外の誰でもない、ということだ。

主体的でない人は仕事のミスも、異性にフラれるのも、何でも他人のせいにする。自分の性格や行動まで、親や教師、社会などに責任転嫁する。育ちや家庭環境、過去の体験はおろか、星占いや血液型などまで、物事がうまくいかない理由にする。

だが、本当に自分の性格や行動を決めているのは、自分自身のはずだ。自分が他人や環境を思い通りに変えることができないように、他人や環境が自分を変えることはできない。嫌な目にあったとしたら、それを防ぐ何かができたはずなのに、そうしないことを選択した自分に問題があったと考えたほうがいい。

自分のやり方が変われば相手も変わる

「あなたみたいな人は苦手」「しっかりした方がいい」などと批判されることがある。だが、それは自分の本当の姿や可能性を示すものではない。発言者が持つ歪んだ見方から出た言葉にすぎないからだ。

人に批判されて気分を害すること自体は仕方がない。人間も動物だから、環境や刺激に〝反応〟してしまうことはある。だが、その反応を当たり前のように繰り返してはいけない。人間には〝自覚する〟という優れた能力がある。刺激に反応したことを自覚すれば、刺激に対する行動は自分で選択できるのだ。

自覚することを意識できれば、逆に自分が外部を刺激できることにも気付く。それが「率先力」。率先力は、周りが動くのを待つのではなく、自らの責任で行動する力。自分の率先力の影響で、相手も変わるようになるのだ。

反射的に反応せず、自覚して行動を選択する

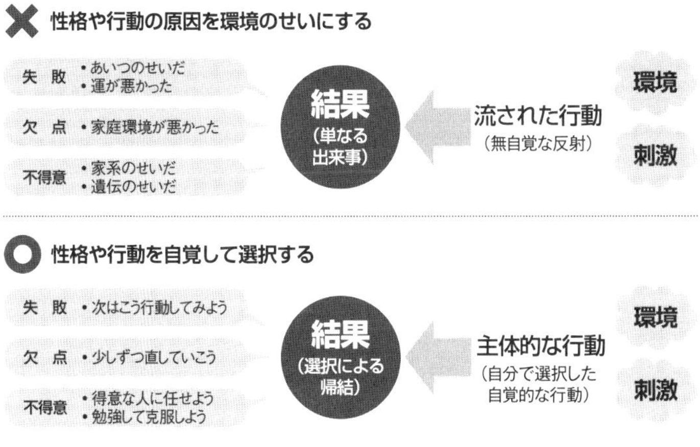
性格や行動の原因を環境のせいにする
失敗
・あいつのせいだ
・運が悪かった
欠点
・家庭環境が悪かった
不得意
・家系のせいだ
・遺伝のせいだ
結果
（単なる出来事）
流された行動
（無自覚な反射）
環境
刺激
性格や行動を自覚して選択する
失敗
・次はこう行動してみよう
欠点
・少しずつ直していこう
不得意
・得意な人に任せよう
・勉強して克服しよう
結果
（選択による帰結）
主体的な行動
（自分で選択した自覚的な行動）
環境
刺激

Chapter 1-2

自分の「影響の輪」を意識して行動する

影響力が及ばないことに悩むのは無意味

主体的に行動して他人や周囲を変えるイメージを、コヴィーは「影響の輪」を使って説明している。左ページ図のうち、まず外側の大きい円が「関心の輪」。関心の輪は、世界のさまざまな物事のうち、自分の関心のあるものとないものを分ける境界線だ。そして、自分に関心があるもののうち、自分が大きく影響できるものが、影響の輪だ。たとえば自分の健康や、自分の仕事のやり方は影響の輪に入る。

ある事柄が影響の輪に入るかどうかは立場や状況による。たとえば会社の就業規則は、普通の社員なら影響の輪に入らない。だが、人事部の社員なら、会社の状況によって入る場合がある。

他人の欠点や周囲の環境ばかり気になる人は、関心の輪に集中しすぎている。だが、関心があっても影響を及ぼせない物事に対して、やきもきしても何も始まらない。それより自分の影響の輪に意識を集中するべきだ。自分が影響できる物事に対して主体的に行動し、率先力のエネルギーを発揮すれば、周囲に変化が起こり、影響の輪を広げることができるからだ。

影響力を高めるために小さいことから始めよう

もちろん、主体的に行動しても、すぐに望む結果になるとは限らない。人は〝行動〟を選択する自由はあるが、行動の〝結果〟を選択する自由はない。〝結果〟は影響の輪に入らないからだ。

同じように影響の輪に入らないものが、〝間違い〟。結果が悪ければ、行動を後悔することがある。だが、起きてしまった間違いを取り消すことはできない。つまり、自分が変えられるのは、〝行動〟だけ。望む結果が得られなくても、改善したいなら、次の〝行動〟を修正するしかない。根気よく試行錯誤を続ければ、徐々に〝結果〟は変わってくる。

主体性の本質は、自分自身や人との約束と約束に対する誠実さである、とコヴィーはいう。個々の行動に責任を持つ意識が、第1の習慣の礎《いしずえ》となるのだ。

自分の影響力の範囲を意識する

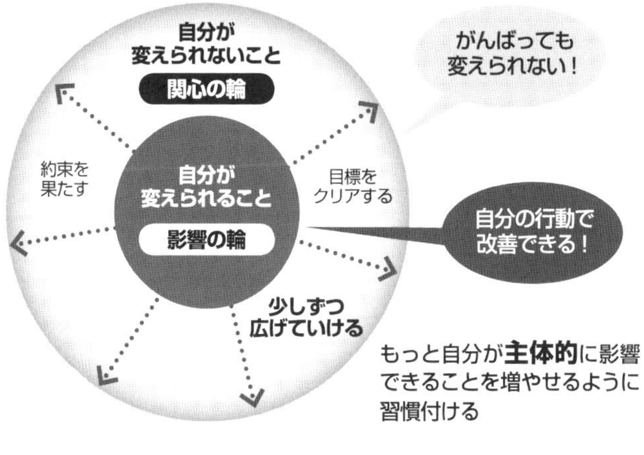
自分が
変えられないこと
関心の輪
がんばっても
変えられない！
約束を
果たす
自分が
変えられること
影響の輪
目標を
クリアする
自分の行動で
改善できる！
少しずつ
広げていける
もっと自分が主体的に影響
できることを増やせるように
習慣付ける

COLUMN 2

主体的に行動するために主体的な言葉を使おう

主体的でない人は、外部からの刺激に対する反応に身を委ね、「自分で状況を変えられる」という意識がない。その背後にあるのは、責任の転嫁。自分には責任がないと思うから、自分の反応を選ぶこともできない、と考えているのだ。

そういう人は、すぐ「僕の性格は生まれつきだから」「彼は頭にくる人だ」「時間がない」「妻がもっと我慢強かったらいいのに」「僕がやらないといけないの？」などと、自分から行動を起こさない理由ばかりを口にする。これでは未来は何も変わらない。それどころか、その予言通り「やっぱりできなかった」となり、さらに他責的な思い込みが強くなってしまう。

このように他人や状況のせいにする言葉を使うのをやめて、もっと主体的な言い方をするようにしよう。「私は別のやり方を探してみよう」「私は気持ちを抑える」「私は〜と思う」「私は〜することを選択する」などと、主語を自分にして状況を考えるのだ。

すると、状況に対して自分が行動を起こすことを意識するようになる。そこにはやがて、責任感が生まれ、主体的な行動が生まれてくる。

たとえば、同じ「愛」でも、反応に身を委ねる他責的な人は、愛をただの感情と見なし、流された行動こそ愛ゆえ、などと考える。だが子どもを守ろうとする親の愛は、もっと主体的だ。経済的に、教育的に、あるいは法律的に、どんな犠牲を払ってでも子どもの人生に具体的に責任を持とうとする。主体的に行動するとはこのように、一時の感情に流されず、それを乗り越えて自覚的に行動を選択することなのだ。

Chapter

2

第2の習慣

終わりを思い描くことから始める

努力を積み重ねても、ゴールを意識していなければ、
間違った方向に進むだけだ。「何のために行動するのか」を
自覚し、ブレない生き方をするために、
自分が大切にする原則を定義しよう。

何で
誰もいないの…
助けて…
出して
出して！
はっ

嫌な夢
見ちゃった…
昨日の女子会の
せいだな…
二宮早起子
28歳
二宮《にのみや》 早起子《さきこ》
中堅企業経理部勤務
毎朝6時に
目を覚まし
代わり映えの
しない
通勤電車に乗り
いつもと同じ
仕事をこなす
そんな日々に
疑問を感じ
始めていた頃
高校時代の
友人たちと
久々に会ったの
だけど——
早起子～
久しぶり
マミはついに
彼とゴールイン
仕事を辞めて
専業主婦に
専念するらしい
ハルコは
子どもを田舎で
育てたいという
希望を叶えるべく
思い切って
脱サラした夫と
地方でペンションを
開くのだそうだ

早起子も早く結婚すればいいのに～
あ でも転職するんだっけ？
昔 英語得意だから海外で仕事したいって言ってたじゃん
ま まあね…
夢か…
私の夢 何だったっけ…
2人がうらやましい
私には打ち込めるものなんか何もない
仕事が嫌いというわけじゃない
でも大好きというほどでもない
辞めたら食べていけなくなるから続けているだけ

海外で働くために勉強したり情報を集めたりしたこともあった
でもそこで気づかされたのは
自分の実力では太刀打ちできそうにないこと
日本人が外国で仕事を一から見つけて食べていくのは難しいということ——
つまりいまの条件は意外と悪くないのだ
閉塞感や倦怠《けんたい》感たっぷりだけど
それを捨ててまでやりたいことがあるかと考えてみたら
結局自分には何も見つからなかった
私だって変わりたいよ
でもどうしたら——
…子
早起子聞いてる？
あごめん何？

おい
一緒に住もうって話だよ
俺たち
もう3年だろ
将来のこと考えたら
お互いのこと
もっと知っておいたほうがいいだろ？
…
そうね…
Bar Seven
ここが私の唯一ホッとできる場所…
いらっしゃいませ

彼は大手企業で期待の若手で〝物件〟としては悪くない
正直　婚活中の女性からすれば喉から手が出るほど欲しい人だろう
でも彼は「奥さんには専業主婦をしてもらいたい」派だ
もちろんそれは
男として家族を守る役目を自負しているということだから悪くないのだけど…
結婚して子育てして
子どもに手がかからなくなったら――
何だかんだで40、50歳だもんね…
はあ…
どうしました？
ううん独り言

いいなぁ 男の人って
…？
女ってさぁ 若いうちに決めなくちゃいけないことが多いと思わない？ 結婚もそう 仕事もそう
で 何を選んでも外野がうるさいし
男の人の仕事ざかりなんて40、50歳じゃない あの人たちはこれからどんどん楽しくなるんだろうなぁ…
早起子さんはいまがあんまり楽しくないんですか？
んん… 考えたいことはいろいろあるんだけど何をどう決めたらいいのかわからないって感じ…

歩ちゃん お願い
あ はい 失礼しますね
綺麗に着飾っちゃって パーティー帰りかしら…
ああ
まぶしい
ガシャン

あーあ
割っちゃった
まったくユカリは
ドジなんだから〜
お怪我は
ありませんか？
すぐに
片づけますね
すみません…
しゅん…
…
すっ
こちら
お店からです

！
いいんですか？
もちろん
ぶどうのカクテルに
しました
お酒は弱めだから
安心してくださいね
いいなー
綺麗な色～

スマートな対応ね
エヘヘ 照れちゃいます
いつもマスターに言われていることがあるんです
歩ちゃん
接客の仕事だから毎日いろんなことがある
お店のミスやお客さんの行動で起こるアクシデントやトラブルもあるだろう
酔っ払ったお客さんも来るから僕たちはそれこそ毎日何か起こると思っていなくちゃいけない
でも私の経験じゃそういうことにスマートに対応するのは…

「スマートかどうか」を考える必要はないよ
お店の人間として対応に迷うことがあったとしたら
お客さんを笑顔にする方法を選べばいいだけの話だよ
シビアに売上だけを見ればマイナスになる日もあるかもしれない
でも
コト
「お客さんに笑顔で楽しんでもらう」
それが僕がバーを開いた目的であり
この店の原則だから
終わりを思い描くことから始めるというのは、
…日々の生活でさまざまな役割を果たすときに、
自分の価値観を明確にし、
方向をはっきりと定めて行動することである。
…そうすれば…本当の意味で主体的で
価値観に沿った人間になれるのである。
──『完訳 7つの習慣 人格主義の回復』P.130──

原則か…
八神くん帰っちゃった一緒に飲もうよ
…ん？何の話？
いえ このお店のポリシーについて話をしていて…
ああ…
個人店は1人でいろいろ考えなくちゃいけないから大変だよね
会社なら企業理念があるけれど 事業の方向性なんかも全て自分で判断しないといけないからね
ええ
いつもいろんなお店で勉強させてもらっています

いいところを取り入れようと思うと目移りしたり混乱することもあるんじゃない？
そういう時はどうするの？
そうですね…
原点に立ち返るでしょうか
原点？
ええ
迷った時は原点に返ると自分がどうするべきかが見えてくるような気がします
どうして僕はバーテンダーを目指したのか
バーを開こうと思った時決意したものは何だったのか…

なるほど
そこがブレてしまうと
いまの自分に
たくさんの選択肢があるように
勘違いしてしまうってわけか
それじゃ結局
何も進まないな
ドキッ
ええ
「やらない」という選択を
自信を持って
決断できるようになると
前に進みやすいかも
しれないですね
内面に変わることのない中心を持っていなければ、人は変化に耐えられない。
自分は何者なのか、何を目指しているのか、
何を信じているのかを明確に意識し、
それが変わらざるものとして内面にあってこそ、
どんな変化にも耐えられるのである。
――『完訳 7つの習慣 人格主義の回復』P.134――
で
マスターの
バーテンダーとしての
原点は何だい？
いえ
それはお客様に
語るようなこと
ではありません…
…
私の原点か…

20年前
ロンドン
…は
はろー…
Hello, Sweetie.
子どもの頃の
海外旅行
言葉が通じたことが
とてもうれしくて
それが
海外で仕事をしたいと
思うきっかけに
なったんだった
よしっ
明日からまた
勉強がんばろうっと

Chapter 2-1

生産的な前進のために「終わり」を設定する

自分の人生の「終わり」を見つける3つの力

コヴィーによれば、「すべてのものは2度つくられる」という。たとえば家を建てるときは、まず頭の中で完成後をイメージして設計図をつくる（知的創造）。その後、実際に工事が行われる（物的創造）。人生も、①人生の方向性をイメージし（知的創造）、②毎日を生きる（物的創造）、という2つの創造でつくるもの。第2の習慣「終わりを思い描くことから始める」は、この知的創造のことだ。

人生の知的創造とは、人生の脚本をつくること。自分の生き方は自分で決められるのに、多くの人がそれを忘れ、無意識に他人が決めた脚本通りに生きている。そして、人生の終わりに後悔する。

そうならないよう、人生の脚本をつくる責任を自覚しよう。自分の可能性から将来を想像し、良心に基づいて、自分の奥底にある価値観をベースにした脚本をつくるのだ。コヴィーによれば、①自覚、②想像力、③良心は、人間独特の力。この3つの力を駆使すれば、自分だけの人生は必ず見つかる。

明確な目的をまず考えて自分を導く

知的創造にはリーダーシップが必要だ。リーダーシップとは目的を考え、そこに到達するために「何をすべきか」を検討して人や自分を導くこと。人生の終わり（目的）に向かって自分を導くリーダーシップを発揮しよう。

だが、このリーダーシップを忘れて、マネジメント（管理）にこだわる人が多い。マネジメントとは、やるべきことをやるために、時間や作業の順序を調整すること。確かにマネジメントは第3の習慣に関係する大切な考え方だ。しかし、マネジメントはリーダーシップがあって初めて意味がある。時間調整やタスク管理などは、目的が明確だからこそ必要になってくる行動だ。まず「目的は何か」を考える習慣を付けよう。そして、目的に向かって自分を導くリーダーシップを常に意識しよう。

目的を決めてから行動を決める

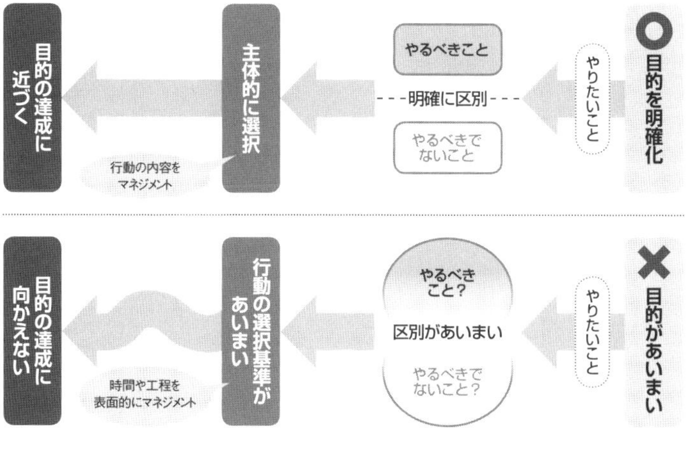
○
目的を明確化
やりたいこと
やるべきこと
明確に区別
やるべきでないこと
主体的に選択
行動の内容をマネジメント
目的の達成に近づく
×
目的があいまい
やりたいこと
やるべきこと？
区別があいまい
やるべきでないこと？
行動の選択基準があいまい
時間や工程を表面的にマネジメント
目的の達成に向かえない

Chapter 2-2

迷ったときは「原則」に立ち返って選択する

生活の中心を考え「ブレない自分」を手にいれる

自分の人生の目的を見出すにはどうするか。まずは、生活の中心を考えることだ。生活の中心を考えるとは、自分ができることは何か、自分が大切にしているものは何かをはっきり意識することだ。

それはいわば、「影響の輪」（46ページ）の中心に集中すること。もっとも関心が高く、影響力を発揮できることに人生の力点を置くことで、日々の言動にブレがなくなり、人間としての安定性が増す。

すると、「自分」をより強く自覚するようになるので、相手との違いを尊重しつつ、自分らしく振る舞う力を発揮できるようになる。周囲に流されず、人生のゴールに着実に進んでいけるようになるのだ。

「人生の目的」は、ただ漠然と未来を考えても見えてこない。自分だけの人生の目的を見つけるために、日々の生活の中心を自覚し、行動を変えるという意識を持とう。

自分の生活の中心を考えようと思うと、お金、会社、家族、趣味など、さまざまなものが思い浮かぶだろう。たしかに、こうしたものを中心に置くと、ブレがなくなる。だが、「会社のため」や「家族のため」は、一見、問題がなさそうに思えても、こうした「物」中心の考え方は、行きすぎるとバランスが崩れ、依存状態を招いてしまう。

あなたの「原則」は何か？

そこで結局、多くの人が中心に置くものを固定できずに、バランスを取りながら生活しようとしてしまう。そういう状態のままでは人生に一貫性を欠いてしまう。

コヴィーは、中心に置くべきなのは「原則」だ、という。公正さ、誠実、勇気などの原則は、普遍的で価値を失うことがない。

あなたの生きる「価値観」は何か。物ではなく、もっとも大切にしたい価値観を生活の中心に置こう。そうすることで、自分らしい人生の目的も具体的に見えてくる。このとき大切なことは、価値観が原則に基づいているかどうかだ。

自分の基本原則を判断基準にする

原則　他人や物事に影響されてブレることがない、基本的な価値観

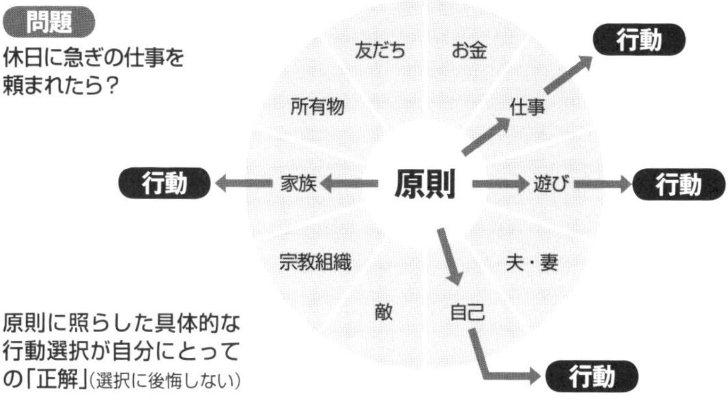
問題
休日に急ぎの仕事を頼まれたら？
友だち
お金
所有物
仕事
行動
家族
原則
遊び
行動
行動
宗教組織
夫・妻
敵
自己
行動
原則に照らした具体的な行動選択が自分にとっての「正解」(選択に後悔しない)

COLUMN
3

人生のキャッチコピー「ミッション・ステートメント」を持つ

常に「終わり」を意識した生活を送るには、個人のミッション・ステートメントを持つといい。ミッションとは使命、ステートメントとは宣言。つまり、自分の人生では何が大切で、自分はどうなりたいのかを宣言しておくのだ。ミッション・ステートメントがあれば、人生の目的を見失わず、日々を送ることができる。

ミッション・ステートメントは、一晩で書けるものではない。人によっては数カ月かかることもある。深い内省と緻《ち》密《みつ》な分析を経て、よく練った言葉で記すことが重要だ。落ち着いた状態で、大切にしたい価値観、中心に置きたい原則について考えてみよう。

正義、公正、誠実、貢献……。さまざまなキーワードが思い浮かぶだろう。そんな価値観で行動する自分を想像すれば、「自分はどうありたいか」が言葉にしやすくなる。

次に、その言葉を書き出してみよう。最初はひと言でもいい。さらに夫・妻、息子・娘、父親・母親、上司・部下など、自分の役割を書き出し、それぞれの役割での「ありたい自分」を書き出す。すると、どんな場面でも、一貫した行動をする自分のイメージは強くなっていくはずだ。

ミッション・ステートメントは、年月を経て練り上げていくもの。定期的に、少なくとも1年に1回は見直すようにしたい。

ミッション・ステートメントを家族や組織のために作成するのもいい。理想の夫婦、理想の家族とは何か。話し合ってミッション・ステートメントを共有しておけば、感情任せの衝突を避け、互いを尊重し合う関係を維持していくことができる。

Chapter

3

第3の習慣

最優先事項を優先する

忙しさに身を委ねていると、
その場は充実するかもしれないが、人生を振り返って
「あれもしたかった」「これもしたかった」と後悔が残る。
もっと「緊急でないが重要なこと」に時間を使おう。

タタッ
順子
三村くん！
管野《かんの》 順子《じゅんこ》
三村と社内恋愛中
ごめん 3分遅刻だ
珍しいね いつも時間に正確な三村くんが…
仕事のトラブル？
む
どいつもこいつも使えないっていうかさぁ
はあ…
ど どうしたの？

数時間前 取引先にて
うん
このご提案なら悪くないと思いますよ
さっそく稟議《りんぎ》にかけてみますよ
ありがとうございます
ちら
…きっかり1時間で終わるな
よしよし
コンコン
ガチャ
いまいいですか?
実は一条さんが見えたらご意見伺いたかったことがありまして…
ええ大丈夫ですよ
次の予定は特にないので
えっ
俺は大丈夫じゃないんですけど
ったく用件は事前にまとめとけよ
14時から15時までの予定だろ
使えね〜〜〜

最後のあの話
いずれは何かの仕事につながるかもな
でもなんか先方の社内でもまだ企画が通っていないようでしたけど
ただの雑談にならなきゃいいですけどね
まあ関係づくりだよ
急ぎじゃないけどこういうのも大事なんだ
種まきみたいなもんさ
ふう…
それにしてもちゃんとアポとってほしいですよ
こっちも予定があるんだから
1時間ものびるなんて…

まあ その後の仕事は 速攻で片づけて きたけどね
さすがだね
晩ごはん中。
タイムマネジメントは 社会人の基本だから
…でも
時間に縛られすぎて 大事なことが 疎《おろそ》かになったら 意味がない
とも いうよ？
ムッ…
…
俺が 間違ってるって こと？
ううん そういうわけじゃ ないけど…
いま こういう本 読んでてさ
ゴソ ゴソ

第Ⅰ領域	第Ⅱ領域
緊急で重要なこと	緊急でないが重要なこと
第Ⅲ領域	第Ⅳ領域
緊急だが重要ではないこと	緊急でも重要でもないこと

ここに書いてあったんだけど
人間の活動の種類には4つの領域があるんだって
完訳 7つの習慣

ふーん…
で それといまの話に何の関係があるわけ?
うーん…
わかんない! 何となくかな
てへ

それより明日のダブルデート楽しみだね
上原さんと会うの久しぶりだもんね
ああ
上原先輩いい転職の仕方したよなぁ
すごい活躍してるみたいだし
上原《うえはら》 進平《しんぺい》
三村が入社当初お世話になった先輩
グラフィックデザイナーに転職
俺の目標だよ

翌日
美術館素敵だったなぁ
あのカフェも雰囲気ありましたね
ニカ
三村 お前に任せてよかったよ
これからもっといいところに案内しますよ
OTTAVA
イタリアンレストラン「オッターヴァ・ヴォーチェ」
よし時間ぴったりだ
すごーい
俺も初めてなんですけどオーナーさんと知り合いなんすよ

やあ
今日はどうもありがとう
楽しんでくれていますか？
あ 八神さん
ええ とても
すごく繁盛してますね
おかげさまで
…でも
あの席
もう1時間くらい空いてますけど…
Reserved
ああ
あそこはいいんだ
…予約の客が遅れてるのか？
俺なら絶対次のお客さん入れちゃうけどな…
いらっしゃいませ

随分遅れてしまってすみません…
いえ気にしないでください
…
ねえこの後は？
ええ
Bar
ちょっとバーで軽く…なんてどうです？
ほぉー
さっきの店といいこんなバーといい
お前も大人になったなぁ

キィ
いらっしゃいませー
やあ
先程はどうもありがとうございました
八神さん
こちらこそどうも
…さっきのお客さん何だったんですか
ん?
土曜の夜なんてかき入れ時じゃないですか
遅れてきたお客さんのために2時間もずっと席をとっておくなんて…
予約をなかったことにして次のお客さんを入れたほうがよかったっていうこと?
だって時間を守らなかったのは向こうじゃないですか
俺だったら…
うちなら何時間だって待ったよ

あの2人はね
オープン以来毎年結婚記念日の夜に来てくれているんだ
とても大事な時間を過ごす場所を「僕の店」と決めてくれている
そんな思いをこちらの都合で台無しにするわけにはいかないよ…
でも…
タイムマネジメントが一番大事…か
お前相変わらずだな
時間の管理が仕事の基本だと思ってるんだろう?
違うんですか?
わからないか?
八神さんのお店にはその日の客さばきがどうとか4万5万の売上がどうとか
そんなことよりももっと重要なことがあった
それを優先したっていうだけの話じゃないか

聞くけどさ
そもそも時間って管理できるの？
時間は時間 ただ流れているだけだろ？
「スケジュール通りに事が進んだからOK」なんていうのは
逆に自分が時間に管理されてるだけなんじゃないか？
時間に管理されてる？
自分が設定した時間が来たからさっさと切り上げて次の行動に移る
それじゃただの機械だよ
時間ナノデ
時間を度外視したつきあいから信頼が築けたり成長の機会を得たり
そんなことも仕事にはつきものなんだぜ？
「まあ関係づくりだよ」
…
でもその日の予定が狂ったら…

仕事っていうのはもっと長い目で見なくちゃな
このカクテルだってそうさ
こんな正統派のバーでシェイカーを振れるようになるには
100や200ものカクテルを常に同じクオリティでつくれるようにならなくちゃいけない
カラ
でもじゃあそのためにどうするのかっていうと
毎日1つずつ練習するしかないだろ
今日明日に何かが起こるわけじゃない
だけど大事なことを日々積み重ねる
それしかないんだ
…「時間管理」という言葉そのものが間違っているという考え方だ。問題は時間を管理することではなく、自分自身を管理することだからだ。
――『完訳 7つの習慣 人格主義の回復』P.198――
そっかぁ
目先の結果にとらわれすぎると逆に結果が出せないって感じかな
ああ
そのへん急ぎすぎている人も多いんだよな～

「スケジュール」をもっと柔軟に考えろよ
そりゃダラダラ仕事したせいで遅れるのはダメだけど
「いまはこれが大事だからこっちを優先させる」って自分で判断して選択したなら
それは予定が「狂った」わけじゃないだろ？
あなたは何かに対しては必ず「ノー」と言ってきた…。目の前に現れた用事が緊急に見えなかったとしても、それは…あなたの人生そのものに関わる事柄だったのかもしれない。
――『完訳 7つの習慣 人格主義の回復』P.209――
予定に忠実っていうのは案外
単に当事者意識がないだけだったりするんだよな
「『彼《上司》から何も学ばない』という選択をしたのは君じゃないのか？」
プログラムのとおりに生きるには、意志、自制心、誠実さ、決意が要る。…正しい原則、あなたのもっとも深い価値観に従って生きる覚悟も要るのである。
――『完訳 7つの習慣 人格主義の回復』P.225――
ぽん

お前
そのへん変えれば
かなり変わってくると
思うぜ
数日後――
ん？
三村くん
…と
確か君は
総務部の…
ドキッ

た
たまたま
一緒になっちゃって
秘密の社内恋愛中
?
となりに失礼
そうか
※テキサスフィズもらおうかな
チェリーはいいから
はい
いや
まいったよ
終わらなくてさ
あの後ずっと仕事だったんですか?
いつもどおり定時退社→
ん
まあね…
……
そういえば俺
課長がどんな案件を並行して抱えてるのか聞いたことなかったですね
?
どうした急に
あ いえ
ちょっと興味があるかなって…

※テキサスフィズ：ジンにオレンジジュース、砂糖、ソーダを加えたカクテル。レモンとオレンジのスライス、チェリーを加えるのが一般的

いいの？
そろそろ帰らなくて
海外ドラマに
はまってるって
言ってたじゃない
録画は
別の時間が
とられるだけ
なのでイヤ
うん
今日は
いいんだ
おいおい
長くなるぞ？
まだこんな
時間じゃ
ないですか
平気ですよ

Chapter 3-1

人間活動は４つの領域に分けられる

「時間を管理する」ことが成長を妨げる

第3の習慣は「最優先事項を優先する」。ありふれた指摘のようだが、実は多くの人がその意味を誤解している。それは「時間を管理する」という発想にとらわれてしまっているからだ。

時間を管理しようとする人は、スケジュール表に隙間なく予定を入れて、すべてを消化しようとする。効率的な毎日を送ることで、バランスがとれ、充実した生活を手に入れられると信じているからだ。

だが、スケジュール重視だと、大事な作業でも「時間が来たら終了」となり、重要な事柄がいい加減に済まされてしまうこともある。そして、スケジュールに空白があると、そこを「何をしてもいい時間帯」と勘違いし、自分の人生の目的と無関係な〝自由時間〟をダラダラと過ごしてしまう。

時間は自分の意志に関係なく刻々と進むもの。管理しようとしてもできるものではない。管理すべきなのは、「最優先事項を優先する」という、行動の順序だ。

「緊急でないが重要なこと」が人生の栄養になる

行動の順序を考えるには、人間の活動を重要度・緊急度で分類した4領域で整理すればいい（下図）。緊急度は「すぐに対応を迫られるかどうか」、重要度は「人生の目的や価値観にとって重要かどうか」。

多くの人は、第Ⅰ領域の活動に時間を割く。緊急で重要だから当然だ。だが、忙しく疲れもたまるので、長続きしない。そのため、ムダな第Ⅳ領域の行動に逃げ込みたくなる。コヴィーは、人生を充実させるには第Ⅱ領域により集中することが必要だ、という。ここには成長に役立つ活動や、将来第Ⅰ領域に入ってくる事柄への準備活動が入る。第Ⅱ領域を増やすには、第Ⅲ・第Ⅳ領域を減らすのがいい。緊急性が高い第Ⅲ領域を減らすのは、難しいが、そんなときは、自分が中心に置いた原則を思い出す。そうすれば、迷いなく誠実にノーと言えるのだ。

緊急でないが重要なことに使う時間を増やす

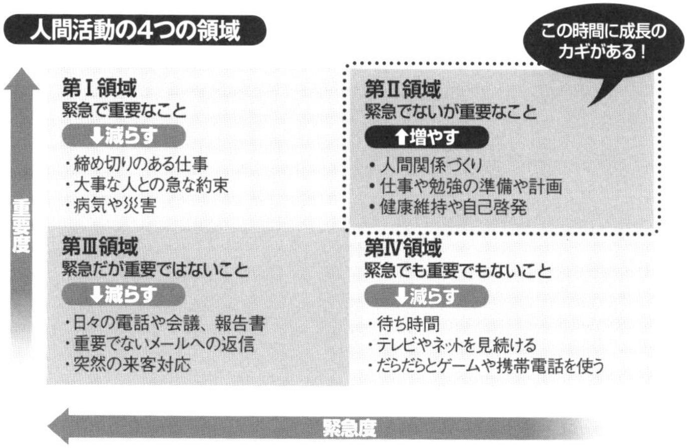
人間活動の4つの領域
この時間に成長のカギがある！
第Ⅰ領域
緊急で重要なこと
減らす
・締め切りのある仕事
・大事な人との急な約束
・病気や災害
第Ⅱ領域
緊急でないが重要なこと
増やす
・人間関係づくり
・仕事や勉強の準備や計画
・健康維持や自己啓発
第Ⅲ領域
緊急だが重要ではないこと
減らす
・日々の電話や会議、報告書
・重要でないメールへの返信
・突然の来客対応
第Ⅳ領域
緊急でも重要でもないこと
減らす
・待ち時間
・テレビやネットを見続ける
・だらだらとゲームや携帯電話を使う
重要度
緊急度

Chapter 3-2

スケジュールは「役割」と「目標」で考える

自分の役割を考えれば第Ⅱ領域が見えてくる

システム手帳や予定アプリなど、時間でスケジュールを管理するツールは世の中にたくさんある。だが、こうしたツールのほとんどが、行動の順序をマネジメントするためには役立たない。では第Ⅱ領域にある事項は、どうすれば実行することができるだろうか。

コヴィー流のスケジュール表の埋め方では、まず自分の役割を書き出すことから始まる。人間にはいろんな役割がある。父親、職業人、自己管理など見直してみよう。次に、役割ごとに1週間の目標を2~3設定する。目標は、後回しになりがちな第Ⅱ領域に入るものを極力選ぶ。

そして、この先の1週間で目標を達成する活動をスケジュールに入れる。月間や年間の予定表を確認しながら、ある事項については来週以降に回すなど、柔軟な設定をする。設定した結果、空白の時間が残っても問題ない。実際に時間が空いても、第Ⅱ領域の行動に使うようになるからだ。

予定をこなすことが目的ではない

このスケジュール表は、1週間の始まりの朝に、必ず確認する。優先事項を優先した生活の意識を高めるためだ。当然、スケジュール表通りに行かないことも起こる。長引く会議につきあうべきか、習いごとを休むべきかなどの判断が必要になる。時間管理にこだわる人だと予定重視になってしまうが、1週間の目標が明確であればそうはならない。自分の役割と目標を改めて思い出すことで、自信を持っていま何を優先するべきかを選択できる。

その結果、消化できなかった予定がたくさん出てくることもあるだろう。だが、問題ない。時間ではなく、大事なことを優先したマネジメントの結果だからだ。急ぎの用事から対応する人生は、常に時間に振り回されて終わる。だが、優先順位に基づいて毎週を計画し、実行する力を育成すれば、自分の人生を生きることができる。

目標を決めてからスケジュールを作る

❶ 役割を定義	❷ 目標を設定（今週の目標）
役割❶ 自分の成長	・ミッション・ステートメントの検討　・専門書を読む ・セミナーに申し込む　・運動（ジョギング）
役割❷ 夫・父親	・家族で科学館に遊びに行く　・授業参観に行く ・妻とコンサートに行く　・子どもの自転車を修理
役割❸ 研究・商品開発	・マーケット調査の検討　・統合問題の研究 ・新商品のアイデアをプレゼン
役割❹ 地域奉仕	・PTAの集まり　・定期草むしり
役割❺ 人生を楽しむ	・夏休みの旅行計画

❸ 予定を埋めていく

COLUMN 4

「任せる」ことでお互いに成長できることもある

時間が足りないときは、全部自分で行おうとせず、人に任せるという方法もある。これをデリゲーション(delegation：委任、委託）という。家庭でも職場でも、人に仕事を委ねれば、自分のエネルギーや時間を他の活動に注ぐことができる。

だが、これを嫌がる人は多い。準備や指示が面倒、進捗が気になる、任せた相手からの質問がうるさい、結果が自分のイメージと異なるなどの理由からだ。しかし、こういう人はデリゲーションが下手なだけだ。

自分の時間を使って行動するときは、効率性を考える。だが、人に任せる場合は、効果を考えることが重要だ。相手にどう動いてもらえば、もっとも成果が大きくなるのかを意識するのだ。そのためには、相手の自覚、想像、良心、意志を尊重した任せ方がいい。手段は相手に任せ、結果に責任を問うやり方だ。

コヴィーはそのために、①望む結果、②ガイドライン、③リソース、④アカウンタビリティ（評価についての説明責任)、⑤評価の結果を具体的に、よく話し合っておくべきだという。

①は、任せた結果、何を達成したいのか。②は、守るべき基準やルール。③は、達成のために使える人員、資金、技術、組織など。④は、成果を評価する基準や進捗の報告を求める時期、評価を行う時期など。⑤は、評価の内容(良いことも悪いことも)。

これらを明確にすれば、人は任せた人を信頼し、自分が考える最良の方法で成果を目指す。結果に対して責任を持ち、成長のきっかけをつかむことができるのだ。デリゲーションが上達すれば、自分のマネジメント力も向上する。

Chapter

4

第4の習慣 Win-Winを考える

ここからは、人間関係を含めた公的成功に必要な習慣となる。
あなたは〝交渉〟には、勝者と敗者が付きものと
考えていないだろうか。自分の利益を主張するばかりでは、
周囲の信頼は得られない。

和ごはん 菜々味や
いらっしゃいませ―――…
あ！ 早起子さん！
あれ？ 歩ちゃん？
こんなところで働いてたんだ
THE 7 HABITS OF HIGHLY EFFECTIVE PEOPLE
Stephen R. Covey
はい お昼から夕方は
生活費はこっちがメインで…
初めて来たけど なかなかいいお店ね
流行っているみたいだし どんなお味か楽しみだわ
順番待ちの人がいるくらいだもんね
はい！
トン
あ ごめんなさい…
…このお店 寒いね…
ぼそっ…
ん？

入口から
すきま風が…
まだ食べてる人
いっぱいいるし
すぐ
入れるところ
行こっか
歩ちゃん？
あっ
はい
今日の
おすすめは…
…ってことが
あったんですよ
へぇ
あそこ
個人店でしょう？
かなり
混んでたよね
ええ
でも店長はもっと
売上伸ばしたいみたいで
メニューとか工夫してるん
ですけどね

調子はどうなの？
それがなかなか…
…
四倉《よつくら》 朋彦《ともひこ》
大学院生
「この歳までブラブラしてたくせに文句言うな！」
ブラブラなんかしてねぇよ…
…？
私そろそろ今日は帰るね
お会計お願い
はい
トクトク
スッ
お水をどうぞ
…

おねーさんさぁ
この仕事楽しい？
こんな小さい店で人に使われてさぁ…
いくらくらいもらってるの？
え？ええ
えまぁ
食べていくだけで精一杯ですけどね
俺はさぁ
わざわざ経営大学院まで進んで経営学を勉強してんのよ
経営大学院？
ＭＢＡって知らない？
20代、30代で年収１０００万円、２０００万円の世界なわけ
こういうところとは次元が違うわけよ

そ　そうですか
失礼な人だなー
外資系の大手とかコンサル会社とかさ…俺にはそういう世界が相応しいわけよ…
こんな立ち仕事で日銭稼ぐんじゃなくてさ
おねーさんも　もっと上を目指したら？
ムカ・・・
…
ニコッ
…いえ　いまの私の器ではこれが精一杯ですから…

ゴク
ふーん…
はっ
すみません
僕なんか
すごく失礼なことを
言ってましたね
ごめんなさい
今日は帰ります
パタン
ふー…
歩ちゃん
偉かったね
いえ
前に正木さんに
叱られましたし…
「嫌な客なんて
世の中にいない」
いやいや
あそこまで言われて
自分から会話を
降りることができたら
たいしたもんだ
会話を降りる？

売り言葉に買い言葉って言うだろ？
相手に何か言われたからってお返しにちょっとでも言い返したりしたら
相手はそれよりさらにトゲのある言葉で返してくるだけだからね
私 自分の仕事に誇り持ってますから
でも年収低いじゃん
仕事ってお金だけじゃないと思いますけど
金がないと何も始まんねーよ

私たちはえてして、強いか弱いか、厳しいか甘いか、
勝つか負けるか、物事を「二者択一」で考えがちだ。
しかし、このような考え方には根本的な欠陥がある。
原則に基づいておらず、自分の権力や地位にものを言わせる態度だからだ。

――『完訳 7つの習慣 人格主義の回復』P.289――

君がもし相手を言い負かそうとする返答をしていたら
どんどん緊張が高まって最後はケンカになっていたかもしれないよね
そこで意地を張らず会話がエスカレートしないようにさっと相手に譲って降りた
見事だよ
俺が君くらいの時ならキレてただろうし(笑)

最後にあの人は君に謝っていただろう？
あの言葉を引き出したのは君なんだ
ちょっとは成長したのかな…
折れたわけでも負けたわけでもない
でも面白いものでそうやって相手のために先に譲ったほうがかえって得することって多いんだよね…
ええ
公的成功は、他者を打ち負かして手にする勝利のことではない。
関わった全員のためになる結果に達するように効果的な人間関係を築くこと、
それが公的成功である。
──『完訳 7つの習慣 人格主義の回復』P.313──
今度またあの人が来たらじっくり話を聞いてごらん
きっと面白いから

トボ
トボ
「この歳までブラブラしてたくせに文句言うな!」
…
前日
302号室
四倉 秀朋
こんなことのために大学院まで行って経営学を勉強したんじゃねえよ!
うちの和菓子屋を継ぐことの何が悪いってんだ!
俺は知識を活かしてもっと広い舞台で仕事をしたいんだよ
それがこんな小さい商店の切り盛りなんて…
バカにするんじゃねぇ!
うちの職人はどうなる?
俺が引退したらみんな路頭に迷うのか?
いまだってたいして儲かってないだろ
いっそ思い切って潰したほうが…
お前っ…
ギュッ

ぐっ…
俺が事故に遭ってなきゃ…
とにかく外資系だのコンサルだの言うのは後だ
いままで好きに勉強できたのは誰のおかげだと思ってるんだ
どうしてもそういう仕事がしたけりゃ
こっちの店をお前が継いで軌道に乗せてからにしろ
トボ トボ…
はぁ…
数日後―― 歩のバイト先
和ごはん 菜々味や
ランチ終了！ お疲れさーん…
ん？
テーブル少なくないか？
それとアレも！
何だ？
お待ちの間お使いください

あ 店長 私が…
待っている間 お客さんが 寒そうだったから 家にあった膝掛けを…
寒くて 帰っちゃう方も いたので…
テーブルを 減らしたのは?
厚着の方が テーブルの間を 通るのが不便そう だったから
1つ減らして 通路を…
広く…
何を 勝手に…
でも店長〜
バサ
いつもよりもお客さん 入ってるみたいですよ
ほら
何だと!?
。。。。。
…と いうことが ありまして…
Bar Seven

それは お手柄だったね
店内の動線がよくなると 客席の回転率がよくなる 場合も多いからね
お客の流れはもちろん ウエイターも 動きやすくなるし
膝掛けも うれしい心配りだ
そっか 「お客さんのため」にしたことが 「お店のため」にもなったんだ…
キイ…
いらっしゃい ませ…
コツ
ペコ
ジン※フィズです
…この間は すみませんでした
いえいえ

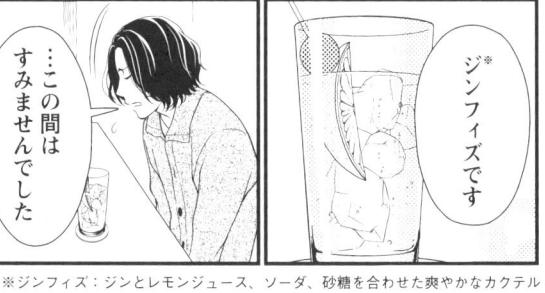

※ジンフィズ：ジンとレモンジュース、ソーダ、砂糖を合わせた爽やかなカクテル

あんな偉そうなこと言っちゃいましたけど
実はちっとも前途洋々ってわけじゃなくてですね…
な
長くなりそうだな…
でも
「じっくり話を聞いてごらん」
カラ…
俺だって大学院まで勉強したのは夢があったからなわけですよ…
夢？
日本国内に留まらない仕事をしたくて…
それを突然地方のちっぽけな商店で和菓子つくれとか言われても…
これから修業ですか？
いやまぁ俺自身がやらなきゃいけないわけじゃないけど…
職人をうまく動かしていくっていうやり方もあるんで…
乗り気じゃないのはうまくいかなさそうだからですか？
いや
自営業だから稼ぎは本来才覚次第ですけど…

僕が経営学を勉強してきたのは年収を上げたいからというよりも
自分の力を試すチャンスが広がるかなって思ったわけだし…
自分を試すチャンス？
経営学を実践で活かす面白さっていうのがあるわけですよ
大企業を動かすこととか新しいビジネスを発掘することとか…
小さい企業の強みを強化して市場を広げたり
小さい組織を大きく育てていったりっていうのもそうですけど
特に新しい市場にビジネスの価値を認めさせていくなんて勘や度胸だけでできることじゃないし…
私も教わりたい～なんて
だから経営学が役立つんですね
それが小さな和菓子屋ですからね…
…まぁ確かに日本ならではの食べ物だし？
海外に展開させたりすれば面白いんでしょうけど…

お客さん！
もう答えが出てるじゃないですか！
？
後日——
これお客さんにいただいたんです
どうぞ
これは…？
この間のお客さん
結局　卒業してから実家の和菓子屋さんを継ぐことにしたらしいですよ
シリコンバレーで日本のお茶のペットボトルが流行ってるみたいだから
それに合うお菓子として向こうでブームを仕掛けてみたいんですって

へぇ日本の甘いものは受けるかもしれないね
チョコより低カロリーだし
お父さんも喜んでるって張り切ってました
歩ちゃんがあのとき
自分の意見を差し挟まずに話を深く聞いて差し上げることができたからだね
？
深く聞くっていうことにはね
それだけで人を導く力があるんだよ
Win-Winの根本には、全員が満足できる方法は十分にあるという考え方がある。
…全員が勝者になれると考えるのである。
Win-Winは、…あなたのやり方でもなければ、私のやり方でもない、もっとよい方法、もっとレベルの高い方法だ。
——『完訳 7つの習慣 人格主義の回復』P.289——
深く
聞く…？
5章に続く——

Chapter 4-1

双方にメリットのある道が真の正解

「勝者がいれば、必ず敗者がいる」と考えるのは間違い

第４の習慣は「Ｗｉｎ－Ｗｉｎを考える」。Ｗｉｎ－Ｗｉｎとは「自分も勝ち、相手も勝つ」こと。つまり、交渉で問題を解決する際に、双方にプラスとなる関係のことをいう。

人間関係のパターンには、Ｗｉｎ－Ｗｉｎを含めて６つある（左ページ図）。このうち世の中に蔓延《まんえん》しているのが、Ｗｉｎ－Loseという「自分が勝ち、相手が負ける」関係。自社が儲けるために下請け企業に無理な取引を強いる、上司が楽をするために部下に仕事を押し付ける、会社の規模や年収を比べて自分が上回れば悦に入るといった態度は、Ｗｉｎ－Ｌｏｓｅの発想から来ている。

また一方、Ｌｏｓｅ－Ｗｉｎの考え方もはびこっている。これを受け入れる人は、それがＷｉｎ－Ｗｉｎだと誤解しているから厄介だ。相手に好かれたい思いが強いせいで、自分の不利益に目をつむっている。だが、気持ちを押し隠し続けても不満が募るだけ。自分もＷｉｎを得なければ、幸せにはなれない。

場合によっては「取引しない」という選択肢もある

６つのパターンのどれが一番いいのかは、短期的には場面によって違ってくる。仕事で疲れた帰りの電車で老人に席を譲るのは、Ｌｏｓｅ－Ｗｉｎだがいい選択だし、わが子の命が危険なときは、他者の利益など一切構わず、ひたすらＷｉｎ（わが子の命）を優先したいと考えるだろう。

だが、現実社会では、周囲とはずっと関わり合うのだから、長期的に考えれば、やはりＷｉｎ－Ｗｉｎがベストの人間関係だ。Ｗｉｎ－Ｗｉｎを成立させるために必要な資質は２つ。自分のＷｉｎを求めて相手に対し誠実に気持ちを伝える「勇気」と、相手にＷｉｎを与える「思いやり」だ。

Ｗｉｎ－Ｗｉｎが難しい場合、Ｎｏ Ｄｅａｌ（取引しない）の選択肢が理想となる。互いの価値観や目標が明らかに違うなら取引を降りる。信頼関係を維持できれば、次の機会に協力できるからだ。

人間関係の6パターン

Win-Win
自分も相手も勝つ
両者がほしい結果を得る
両者が納得する第3の案を発見する

Lose-Lose
自分も相手も負ける
相手を負かしたい一心で、自分のリスクも高く、損する行動をする

Win-Lose
自分が勝ち、相手が負ける
競争の結果、もしくはエゴを通すことで、自分だけが勝つ

Win
自分だけの勝ちを考える
自分の目的だけを考え、他人の不幸や不利、迷惑などに関心がない

Lose-Win
自分が負けて、相手が勝つ
競争したり、衝突を避けた結果、相手は満足し、自分は言いなりになる

Win-Win または No Deal
Win-Winに至らなければ、取引しない
Win-Winを目指したのに、双方が納得できないなら、取引をしないという選択

Chapter 4-2

「与える人」がもっとも豊かになれる

「豊かさマインド」を抱いて生きよう

Ｗｉｎ－Ｗｉｎの話を聞くと、「それは理想の話」と一蹴する人がいる。こういう人の心は「欠乏マインド」に支配されている。そういう人は、人の成功を「おめでとう」と称《たた》えながら、内心では嫉妬する。「幸せの量は決まっていて、誰かがひと切れとると、自分が損をする」という発想があるからだ。

もし、自分にそんな欠乏マインドがあると感じたら、今日から「豊かさマインド」に切り替えよう。豊かさマインドとは、「すべての人が満足することは可能だ」という発想。幸せの量は一定ではなく、新しくつくり出していけるという考え方だ。

Ｗｉｎ－Ｗｉｎを支える5つの柱とは

第1、第2、第3の習慣を実行することで得た誠実性や、豊かさマインドに基づく「人格」は、Ｗｉｎ－Ｗｉｎの達成を支える柱（左ページ図）。素晴らしい人格から始まる交流なら、高い信頼に基づく「関係」

を構築できる。だからこそ、議論を尽くして、双方が納得する「合意」にも到達できる。

　Ｗｉｎ－Ｗｉｎを得るには、人間関係を決める「システム」の検討も重要だ。たとえば、従業員に業績別のボーナスを支給している会社。こんなＷｉｎ－Ｌｏｓｅの関係が生まれやすいシステム下では、いかに「チームのためにがんばれ」と上司が言っても、Ｗｉｎ－Ｗｉｎの社員関係は育ちにくい。チームの業績が上がれば、チーム全員の評価が上がる方法などにシステムを転換する必要がある。

　さらに、Ｗｉｎ－Ｗｉｎに至る「プロセス」も重要だ。コヴィーは、①相手を理解し、②解決すべき課題を明確にする。③確保すべき結果を明確にし、④結果を達成するための選択肢を出す、という4つのステップを勧めている。これらは第5、第6の習慣に関する大切なものだ。

　Ｗｉｎ－Ｗｉｎは、結果を求めるだけではうまくいかない。5つの柱があって初めて実現するのだ。

Win-Winの達成を支える5つの柱

❶人格
基礎となる
自分の人格が
充実している
❷関係
お互いの
信頼関係が
強く結ばれている
❸合意
双方の合意が
なされ、実行協定
が成立している
❹システム
関係を継続するしくみが円滑に機能している
❺プロセス
結果に至るための望ましい過程をたどっている

COLUMN 5

人間関係を充実させる「信頼口座」の残高を増やす

成功には「私的成功」と「公的成功」がある。第1、第2、第3の習慣が身に付いていなければ、第4、第5、第6の習慣は身に付かない。第1、第2、第3の習慣は、スポーツでいう基礎体力。基礎体力を高めることで、初めて“試合”で成果が出せる。

人間関係もこれに似ている。成果を求めて交渉術や会話術のようなテクニックを学んでも、その人自身の器が小さければ、結果は長続きしない。Win-Winを目指すことも同様で、相手から深い信頼を得られなければ、本当の成果は得られない。

そこで大切なのが、自分の「信頼口座」の貯えを増やすこと。人からの信頼とは、あたかも銀行口座のように増減するものなのだ。

友人との約束を守ったり、気遣いをすれば、信頼口座の残高は増える。逆に、無礼な振る舞いや不誠実な態度を取れば、信頼口座の残高は減る。毎日会う同僚には話せなくても、数年ぶりの旧友に打ち明けられることがあるのは、お互いに長年培《つちか》ってきた信頼口座の残高が十分高いからだ。信頼口座の貯えを“散財”している人は、いつまでも人から尊敬されず、公的な成功の第一歩、Win-Winはつかめない。

信頼残高を増やす方法は、次の6つ。①相手の価値観や重視していることを本当に理解しようとすること、②小さな思いやりや礼儀を大切にすること、③約束を守ること、④お互いに期待することを明確にし、誤解を生まないようにすること、⑤誠実さを言動で示すこと、⑥あやまちは心から謝ること。

どれも良好な人間関係を築くためには当たり前のことだ。

Chapter

5

第5の習慣

まず理解に徹し、そして理解される

「聞く力」を軽視している人は多い。
だが、本当の信頼を得て自分の影響力を発揮するには、
まず相手の話を深く聞く必要がある。
「自分の答え」に急がず、「相手の答え」に耳を傾けてみよう。

えっと
ライムとレモンと…
あと
いちごか
おつかい中。
天国のお父さん
いまのバーで働いて
もう3カ月が
経とうとしています
だけどまだまだ
修業中の身
わからないこと
だらけです…
深く聞くって
いうことにはね
それだけで
人を導く力が
あるんだよ
深く聞く？
…そうだな
いままで出会った中で
君が一番信頼できる
他人って誰だった？
えっと…
あゆみ！
よく
がんばった!!
中学の時の
担任の先生かな…
いつも私の話を
聞いてくれてたから…

そう そう
人間っていうのは 自分の話をたくさん 聞いてくれる人に 信頼や親しみの気持ちを 抱くものなんだよね
だけど それができている人は 少ないですね
ああ
特に僕らみたいな 仕事では
人の話を解釈をしたり 評価したりせず ただ話を受け止めるって いうことが大事なんだよ
人の会話っていうのは よく聞くと
「私に言わせて」「俺の話を聞いて」という 気持ちの応酬で 終わっていたり することが多いんだよね
たとえば…
A社との仕事が うまく いかなくてさ…
はあ
お前 メールで用件 済ませてない?
きちんと 訪問しろよ
レスポンスが 遅いんじゃ ないか?
俺は必ず 2時間以内に 返事をしてるぜ
みたいなね

人は「話す」ことに快楽を感じる生き物なんだ
だからみんな自分の快楽を優先してしまう
その結果誰も人の話を聞いていない
会話のように見えて会話じゃないズレた言い合いをしていることってとてもよくあるわけ

私たちはえてして、問題が起きると慌ててしまい、
その場で何か良いアドバイスをしてすぐに解決しようとする。
しかし、その際私たちはしばしば診断するのを怠ってしまう。
まず、問題をきちんと理解せずに解決しようとするのである。

――『完訳 7つの習慣 人格主義の回復』P.340――

と言われても…
ドサ
青果
お客さんに対して具体的にどうすればいいんだろう
買い出しお疲れ様
すぐ仕込みますね
相手が話しやすいように上手に質問をして話を聞き出すのがいいのかな
次からは気をつけてみよう

まだまだ未熟な私ですが日々の努力の成果かシェーカーをお客さんの前で振れる日もそう遠くなさそうです
歩のカクテル
「これならもう少しでお客さんに出せるかもね」

今日の最初のお客さんは――
キイ…
いらっしゃいませ
すみませんまだ開店前で…
こ
子ども!?
そー…
五十嵐《いがらし》 心愛《ここあ》
どうしたの？お母さんは？
…
迷子かな
外をうろうろするのも危ないからいったんここに置いてあげようか
警察に連絡しておくよ
迷子
預かっています！
ふたつ結
四角い髪飾
Bar Seven
のど渇いてるかもしれないから何か出してあげたら
！
はは い！
ぐりぐり

私が初めて
人に出すカクテル…
※シンデレラ
っていう
ノンアルコール
カクテルだよ
こくっ
無反応
難しすぎたか…
ねえ
お名前
何ていうの？
…
ここあ…
ここあちゃんは
いくつかなぁ～？
…
みっつかぁ
えらいねぇ
お母さんは
どこ行ったか
わかる？
…
手強い…
ぐりぐり

※シンデレラ：オレンジジュース、パイナップルジュース、レモンジュースを合わせたノンアルコールカクテル

キイ…
いらっしゃいませ…
あれ？
ここじゃなくない？
ぎょ
じょ女子高生？
この辺にカフェがあるって聞いたんですけど迷っちゃって…
佑香今日はここでよくない？
あの　ここお茶とかってできますか？
六本木《ろっぽんぎ》 佑香《ゆか》
高校２年生
六車《むぐるま》　さとみ
高校２年生
まあジュースくらいなら…
やった！
ここはお酒を飲むところだからあまり遅くまでは置いてあげられないよ
はーい

わ！かわいー
この子どうしたの？
迷子だよ
そうなんだこんにちは～
私はさとみっていいます
私はゆかだよ
…
あたしここあ…
ここあちゃん？よろしく！
…
…この子はぷーたん
ぷーたんっていうの？
かわいい～
これ…
ここあが見つけたの…
きれいな石！
宝石みたい！

わいわい
すごーい
もう仲良く なってる…
君とあの2人の違い わかるかい？
？
君はさっき あの子にまず 名前と歳を 聞いたよね
？
それって 普通じゃない ですか？
うん
初対面の子どもと 接するとき 多くの大人が そうするけれど…
相手が 大人だったら どう？
キュッ
自分から 名乗るのが常識だし 相手にいきなり 年齢を聞くのも 失礼なことだよね
確かに…
君 名前は？ いくつ？
……
あの2人は 自然とそれが わかっていた
だからあの子も 素直に自分の名前を 教えてくれたし 自分の興味のあることを 開示してくれたんだ

話を深く聞くことの難しさの1つは
相手に対して無意識に上下関係をつくってしまっているところにあると思う
特に子どもには気づかずそうしてしまう人が多いみたいだね

聴き方のトレーニングを受けたことのある人は、そう多くはいないはずだ。
たとえ訓練を受けたことがあっても、
ほとんどは個性主義のテクニックであり、
それらのテクニックは相手を本当に理解するために不可欠な
人格と人間関係を土台としているものではない。

――『完訳 7つの習慣 人格主義の回復』P.340――

キイ
いらっしゃいませ
キョロキョロ
…！
心愛！
ままー

※カンパリビア：ビールをベースに、カンパリを加えたカクテル。
カンパリのほろ苦い甘さが効いている

うちの制服を着た生徒が
バーに入っていったと
連絡を受けて来てみたが…
ほら帰るぞ
やだよ
別にお酒
飲んでるわけじゃ
ないし
まったく…
もう
2年の冬だって
いうのに
この時期
進学先の希望を
出してないのは
お前たちだけなんだぞ
こんな店に出入りして
受験を棒に振ったら
どうするんだ
私たちの進路でしょ！
ほっといてよ！
上位校に
進学することで
人生の選択肢は
大きく違うんだ
そんなことも
わからずに
何を言う！
それはあなたの
答えであって
2人の答えでは
ないでしょう？
…何だ君は

OTTAVA VOCE オーナー
八神 貴臣
2人の友人ですよ
こういう者です
オーナー…ね…
大丈夫
もうしばらくしたらきちんと2人は帰らせますから
今日のところは…ね
…
後で家に電話するからな
早く帰れよ
バタン
やあ
八神貴臣
近くのレストランでオーナーをしているんだ
あ
六本木佑香です…
ペコ
六車さとみです…

…
わ
私たち
進路のことで
うまくいってなくて…
進路？
親や学校は
偏差値で志望校を
決めろって言うけど…
…君たちは
そうじゃないと
思うんだね？
だって
ただ偏差値で人と比べて
大学を選ぶなんて
変じゃないですか
やりたい仕事に
関係あるなら
進学先の偏差値とか
関係ないと
思うんです
でも学校は
「とりあえず
いい大学行け」って
言うばっかり
なんです
…難しそうな
問題だね
それで君たちは
どうしたいと
思ってるの？
私は…
……
1時間後——

また来ても いいですか？
遅くない 時間ならね
話なら いつでも 聞くよ
パタン
さすがですね
あの2人 仕事の話とかもっと 知りたいんだってさ
ここの 常連さんのことを 教えてあげたら 今度 直に 聞いてみたいって

私たちは多くの場合、外部の助言がなくとも自分をコントロールできる。
心を開くチャンスさえ与えられれば…自分の問題を解きほぐしていける。
すると解決策がその過程ではっきり見えてくるものである。

――『完訳 7つの習慣 人格主義の回復』P.365――

…八神さんが 取り持つんですか？
ああ
面倒が 増えちゃったよ

Chapter 5-1

「話す」より「聞くこと」から始めよう

相手を理解しない人は理解してもらえない

第5の習慣は「まず理解に徹し、そして理解される」。家族、恋人そして友人に、自分のことを理解してもらいたいという気持ちがあるのに、そのことに成功している人は少ない。それは、自分の言いたい気持ちが先走り、相手のことを理解しようという姿勢が足りないから。「わかってくれない相手が悪い」と責める前に、自分自身を振り返ろう。相手も同じことを思っているかもしれない。

交渉術や会話術のようなテクニックを使って会話をすると、相手は「自分を操ろうとしている」と感じて身構える。また、言うことが毎回違っていたり、気分屋で態度に一貫性がないような人に本当の気持ちを打ち明けたいとは、あまり人は思わない。自分本位の発信をやめ、相手のペースに合わせる努力をしよう。相手を理解することに徹すれば、やがて相手は自分の言葉にも耳を傾けてくれるようになる。

コミュニケーションには、読む・書く・話す・聞くがある。このうち、聞くことがもっとも重要なスキルだと、コヴィーはいう。だが、聞く練習をしたり、訓練を受けたことのある人は非常に少ない。そのため、興味のあることなら注意深く聞くが、興味がないと話の一部だけを選択的に聞いてしまう人が多い。「うんうん」とあいづちだけを打って聞くふりをしたり、人の話を無視する人さえいる。

Win-Winのために〝聴く〟

Win-Winの関係を築くには、話の聞き方の段階のうち、最高レベルのスキルが必要になる。

それは、「共感による傾聴」というスキルだ。共感による傾聴とは、相手の目線で話を聞き、心の底から誠意を持って相手を理解しようとすること。相手が「何を言ったか」ではなく、「どう感じたか」に耳を傾けるのだ。

共感による傾聴は、時間がかかると感じる人も多い。だが、心の声を聴くために使った時間は、信頼という大きなメリットをもたらす。人の話に耳を傾けるときは、「話したい」という欲望をできるだけ自制しよう。

話を聞くことからWin-Winの関係が始まる

会話の段階

レベル高

4 感情移入して聞く
相手の目線で聞く。相手が世界をどう見ているのかを感情移入によって理解する

➡Win-Winの関係へ

3 注意して聞く
関心を持って深く聞く。相手が問題と考えることが何かを理解しようと努める

2 選択的に聞く
自分が興味のある部分にのみ関心を持ち、自分の目線で解釈・評価する

1 聞くふりをする
ただ相づちを打つだけで、話の内容には無関心。別のことを考えている

0 無視する
話しかけられても返事をしない。相手の存在を認めた振る舞いをしない

レベル低

4段階の聞き方で相手を深く理解する

「自分の場合」に当てはめて聞くことをやめる

コヴィーは、第5の習慣のためには大きなパラダイムシフト(価値観の転換)が必要だ、という。それは「自叙伝的反応」から「心の底から理解しようという聞き方」への転換だ。

「自叙伝的反応」とは、人の話を自分の経験で解釈したり、評価しようとする聞き方。自分の人生の物語(自叙伝)を参照しながら、人の話を聞いてしまう態度のことだ。自叙伝的反応で聞く人は、人が悩みを打ち明けると、つい「私もそうだったから、君もこうしなよ」と自分語りを始めてアドバイスをする。これだと「相談に乗ってあげた」と自分は満足できるが、肝心の相手は「私の話を聞いてくれた」と感じない。「私のいまの気持ちを分かち合ってくれた」とはとても思えないからだ。

共感による傾聴は、単なるテクニックではない。心から相手を理解したいという誠意がないなら、やらない方がいい。上辺だけの傾聴(もどき)は、相手を傷つけ、人間関係に最悪の結果をもたらす。

共感による傾聴で相手の心を開く

コヴィーは、共感による傾聴の上達のために、4つのステップを紹介している（下図）。

第1段階：話の中身（キーワード）を繰り返す。これにより、相手の話を注意して聞くようになる。

第2段階：話の内容を自分の言葉に置き換えて言い直す。これにより、話の内容を考えながら聞くようになる。

第3段階：「つらいね」「楽しいね」など相手の感情を自分の言葉で置き換えるあいづちを打つ。これにより、相手の言葉よりも相手の感情に注意して聞くようになる。

第4段階：第2、第3段階を同時に行う。この段階で初めて相手は心を開き、信頼感が生まれる。

繰り返すが、こうしたスキルを使った傾聴は、「相手を理解したい」という誠意があってこそ意味がある。そこをよく踏まえて、4段階を練習しよう。

「聞く」とは相手の目線で世界を見ること

✕ 自分の世界を通して相手の世界を決めつける

- 解釈「私は外で遊ぶのが楽しかったから、息子もきっとアウトドアが好きなはず」
- 評価「私も昔は夢を見たけど、それは現実的じゃない」
- 助言「勉強をしたほうが身のためだよ」
- 探り「学校で先生に叱られたんだって？」

● 相手の目線で世界を見る

1. 話の中身を繰り返す　「仕事が嫌なんだ」➡「仕事が嫌なんだね」
2. 話の中身を自分の言葉に置き換える　「仕事にやる気が出なくて」➡「そうか、会社に行きたくないんだね」
3. 相手の感情を反映する　「今日は休んでもいいかな」➡「なんだか疲れているみたいだね」
4. 自分の言葉に置き換えつつ、感情を反映する　「今日は休んでもいいかな」➡「疲れているようだから、会社に行きたくないんだね」

COLUMN 6

言葉の「正しさ」では人の心は動かない

コミュニケーションの目的は、最終的には、自分を理解してもらい、相手の行動を引き出すことにある。だが、理論武装をして相手を説得しようとしても意味がない。“論破”はできるかもしれないが、相手の心はより頑《かたく》なになり、お互いのメリットになるような行動を促すことは難しい。

人は「あの人に付いていこう」と思うとき、その人が「何を言ったか」ではなく、その人が「どういう人物か」で決めている。オオカミ少年は、最後に真実を口にしたが、それまで嘘ばかりついていたので、村人が彼の言葉に従うことはなかった。

仕事やプライベートで自分の意見を尊重してほしいと思うなら、まずは「付いていきたい」と思われる人物になることを目指そう。普段から、周囲の人といい人間関係を築いておくことで、初めて正しいことを「正しい」と認めてもらえる。敗戦必至の厳しい状況でさえ、黙って運命を共にしてくれるようになる。

結局、自分を理解してもらうために必要なのは、いかに普段から相手を尊重し相手に寄り添っているか、いかに相手の目線で世界を見ようとしているかに尽きる、ということ。

ケンカをしていたり、気まずい関係の人がいたら、「相手に自分はどう見えているのか」を考えてみよう。自分という人間がどんな印象を与えていると思うのか、書き出してみるといい。どんな振る舞いをすれば、関係を改善できるのかが見えてくる。

相手の立場で人間関係を考えることは難しい。だが、それこそが、人との繋がりを深くする本当の近道だ。

Chapter

6

第6の習慣
シナジーを創り出す

人と組んで何かをしようというときは、どうしても共通点ばかりに目が行きがちだ。だが、相違点をぶつけ合うからこそ、互いのよさを活かし合い、シナジー効果で大きな成果を得ることができる。

くそっ
こんな曲じゃダメだ!
…
六波羅《ろくはら》 信《まこと》
フリーの作曲家
数日前
CM制作会社にて
…という新しい商品です
もちふわの食感とコクのある甘みで女子中高生の支持を狙っていまして…
コンペになっちゃうんですけどCM作曲のほうぜひお願いしますよ
わかりました
カタッ

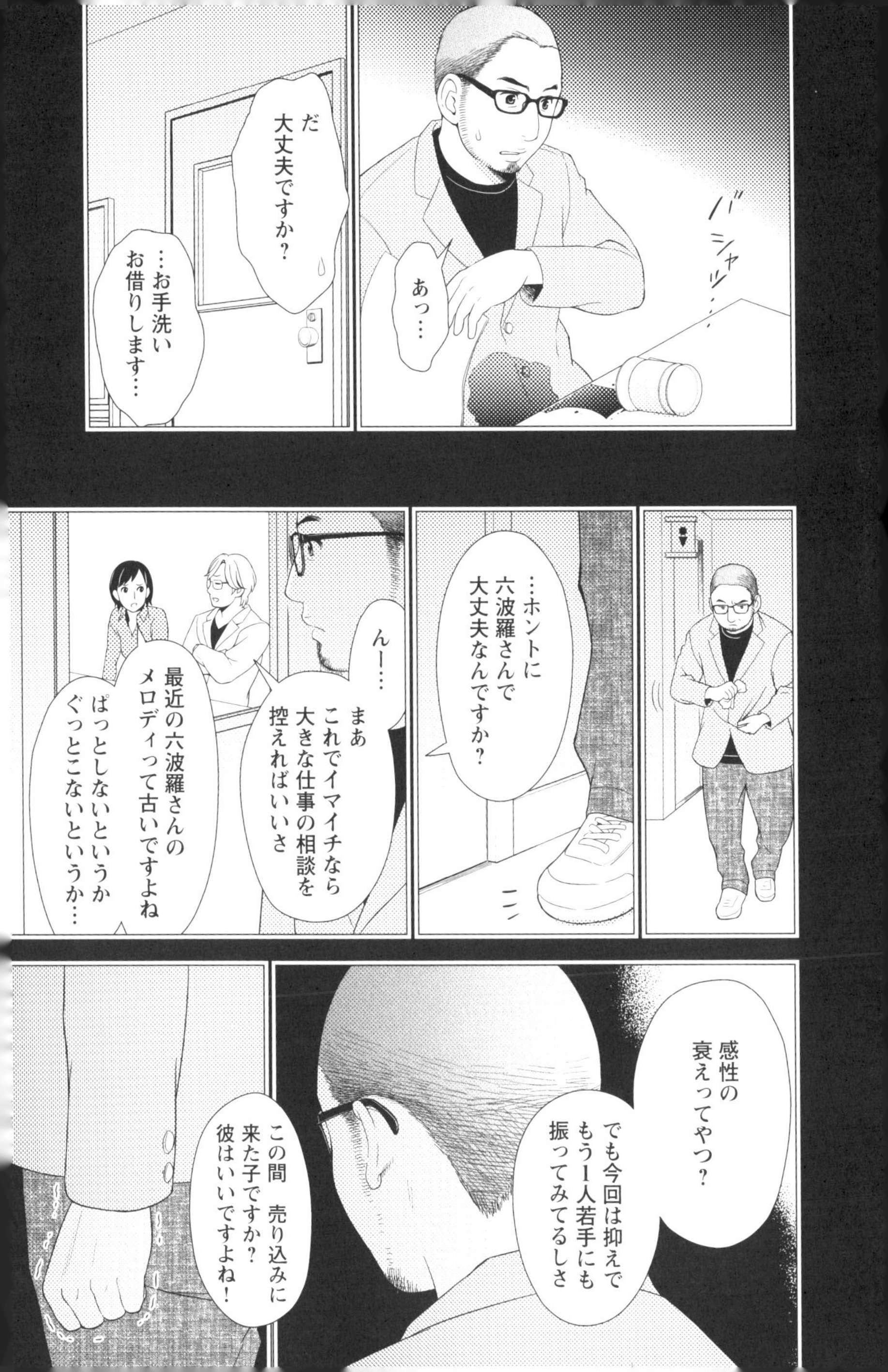
バシャッ…
あっ…
だ 大丈夫ですか？
…お手洗い お借りします…
…ホントに 六波羅さんで 大丈夫なんですか？
んー…
まあ これでイマイチなら 大きな仕事の相談を 控えればいいさ
最近の六波羅さんの メロディって古いですよね
ぱっとしないというか ぐっとこないというか…
感性の 衰えってやつ？
でも今回は抑えで もう1人若手にも 振ってみてるしさ
この間 売り込みに 来た子ですか？
彼はいいですよね！

※ギムレット：ジンにライムジュースを加えたカクテル。ちなみに「タンカレー」とはジンの一種。４回もの蒸留工程を経て製造される

ただ夢を捨て安定を選んだだけのヤツらのくせに――
じゃあ三村さんの仕事ではどんな知識が必要なんですか?
そうだなぁ…
パソコンや最低限の会計知識は必要だし…
市場リサーチには統計学も知っていると便利かな
すごーい
じゃあ数学もやっといたほうがいいのかなぁ
そりゃそうさ
よく「学校の勉強は社会では役に立たない」なんていうけど僕はそうは思わないな
だって…
ふ――ん…
未来明るい若者たちか…
イラ…

高校生がこんな店来てていいのか？
…進路について相談に乗ってもらっているだけです
ムッ
親の小遣いで来るようなところじゃないだろ
私たちだってバイトくらいしてますけど
世間に食わせてもらってる身分だろうが
それはおじさんだって同じでしょ？
何!?
ガタッ
向こうで話そうか
イーッだ
チッ…

あの2人
どの学部を受験したらいいのか迷っているんですって
ぐいっ
ふん
俺には関係ないよ
1時間後——
ありがとうございました
それじゃあ僕も失礼します
忙しいのに悪かったね ありがとう
いえ 僕も勉強になりましたから
俺もお勘定
…パタン

は〜
緊張した〜
なんだか六波羅さんはイラついてたみたいだね
ええ
でもああいうときは六波羅さんが大人になって譲ってくれたら…
それは佑香ちゃんたちの立場からすればそうだけど
六波羅さんからしたら「目上の人を敬え」っていう話になっちゃうよ
どっちにも「自分のほうが正しい」という言い分があることになりますね
ええ
どちらかの言い分を通しては一方はただ「引いただけ」になってしまう
違う者同士だからぶつかるんだ
でもそこでコミュニケーションを諦めてしまっては何も生まれない気がするけどな

他者とのコミュニケーションが相乗効果的に展開すると、
頭と心が解放されて新しい可能性や選択肢を受け入れ、
自分のほうからも新しい自由な発想が出てくるようになる。
——『完訳 7つの習慣 人格主義の回復』P.384——

※マティーニ：ジンとドライベルモット（ベルモットというフレーバードワインの一種で辛口のもの）を合わせ、オリーブを添えたカクテル。エギュベルは甘い香りが特徴のジンの一種

何してるんですか？
ああ…いま女子中高生向けのお菓子のCM音楽を作曲してて…
いくつも提案すると自信がないと思われるから2つか3つに絞りたいんだけど…
迷ってて
○○○○○○ピン！
あの2人に意見を聞いてみたらどうですか？
そのお菓子のターゲットそのままだし
は？
あんな連中と話なんか…
聞いてない
佑香ちゃん！さとみちゃん！
この人はねCM音楽の作曲家なの
いまちょうどいくつかメロディを試作したそうで2人の意見を聞いてみたいんですって

…
私は…2番目のやつが好きかな
私は3番目
ど…どうしてだ？
んー
なんとなくだけど楽しい感じがするし
1つめはちょっと暗いっていうか
音だけ聞いて振り向くって感じはしないかなぁ
な
なるほど…
おじさん音楽の仕事してるんですか？
あ ああ
あんまり売れてないけどな
それって…
どうやってなるんですか？

私もピアノやってるから
興味あるんですけど
音楽を仕事にするって
全然想像つかなくて…
ま　まあ
世間的にはいわゆる
アーティストとか
作曲家とか
クラシックの演奏家
くらいしかないように
見えるよな
違うんですか？
ああ
俺みたいに
裏方でいろいろ
作曲する仕事もあるし
PAっていって
舞台やイベント会場の
音響を整える仕事とか
知育に音楽を
使うような仕事も
あるって聞いたな
幼児リトミック※
だったかな…？
それ面白そう！

※幼児リトミック：音楽を使いながら子どものリズム感や集中力などを養う、音楽を使った指導法の1つ。欧米で盛んに行われており、近年、日本でも広まりつつある

女子校生たち帰宅後。
どうでした?
あ
ああ
今度スタジオの
機材を見たいって…
今日みたいに
ときどきモニターに
なってもらうのも
悪くないかもな…
アルバイトで
すごい
仕事にも
いい変化に
なりそうですね
私たちは
みんな違う
でもそれは
誰からでも
学べるって
ことなんですよね

違いを尊重することがシナジーの本質である。
人間は一人ひとり、知的、感情的、心理的にも違っている。
…誰もが…「自分のあるがまま」を見ているのだということに気づかなくてはならない。

――『完訳 7つの習慣 人格主義の回復』P.407――

12月――
…あれ？
今年の飾り なんか若くない？
ええ
最近 よく来てくれる 女子高生たちの意見を 取り入れまして…
あ この曲…
わかります？ お菓子の CM音楽なんです
ここの常連さんが つくった曲で
うちのおかげで コンペに通ったからって フルメロディ つくってくれたんですよ
その節は どーも
まあ うちのというより 女子高生たちの おかげなんですけどね
うちは 別に何も
ふうん…
その子たち またお店に来るの？
ちょっと会いたいかも

はい
明日のクリスマスパーティには
早起子さんも彼氏さんとぜひ♡
受験が近いからそれを最後に勉強に集中するんですって
幼児リトミックに興味出た！
いろんな人に話を聞いて2人とも夢が具体的になったみたいです
私は将来貧困とかの国際問題に取り組みたいな
教育心理学
経済学
そう…

本当の意味で効果的な人生を生きられる人は、自分のものの見方には
限界があることを認められる謙虚さを持ち、
心と知性の交流によって得られる豊かな資源を大切にする。

——『完訳 7つの習慣 人格主義の回復』P.408——

Chapter 6-1

お互いに納得できる「第3の案」は必ずある

シナジーの本質は「違い」を尊重すること

第6の習慣は「シナジーを創り出す」。シナジーとは、個別のものを合わせて個々の和より大きな成果を得ること。コヴィーはシナジーを「人生においてもっとも崇高な活動」と見なす。それは、シナジーを創り出せば、いままで存在しなかった新しいものを生み出せるからだ。

シナジーの本質は、「違いを尊重すること」にある。だが、多くの人が、自分と違うものには否定的になりがちだ。年齢や職業が違うだけで、コミュニケーションを諦める。異性や同僚とうまく行かないと、相手の間違いのせいにする。そのほか、育った環境、文化など、挙げればきりがない。

そもそも人は、違う経験をし、違う人生を生きているのだから、考え方や見方は違って当たり前。人との違いは率直に認め、自分の弱点を相手にあえて見せるくらいの方がいい。自分の考え方や能力の限界を認め、相手の長所から学ぶ。こんなふうに相手との「違い」を尊重するようにしよう。

シナジーの成果は妥協よりもはるかに大きい

人との相違点に価値を見出さない人がとりがちなのが「妥協」だ。妥協では、個々の力の和よりも小さな結果しか得られない。下図の2つの三角形は、AさんとBさんが共同作業を行うイメージ。上が妥協を示したものだ。妥協とは、2人が「まぁ、いいか」と、重なり合う部分のみに合意して満足したときに生まれる。重なり合う部分の大きさは最大でも1+1=2。普通はそれよりはるかに小さいことが多い。

一方、その下は、シナジーを示したもの。2つの三角形の外側の辺を伸ばしていくと、新しく大きな三角形ができる。2人が能力をそれぞれ発揮し合うことで、大きな成果が生まれるのだ。シナジーが起こると、当初の三角形にはなかった部分が生み出される。これが「第3の案」。妥協よりもはるかに大きな成果をもたらす共同作業の産物だ。

相乗効果によって「2」より大きな第3案に至る

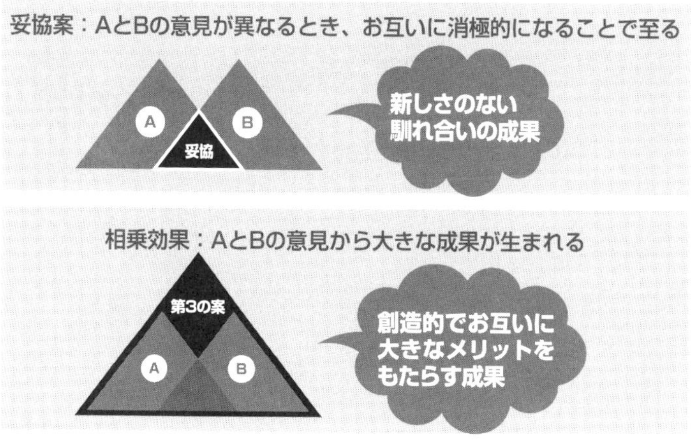
妥協案：AとBの意見が異なるとき、お互いに消極的になることで至る
A
B
妥協
新しさのない
馴れ合いの成果
相乗効果：AとBの意見から大きな成果が生まれる
第3の案
A
B
創造的でお互いに
大きなメリットを
もたらす成果

Chapter 6-2

シナジーをもたらすコミュニケーションとは

コミュニケーションの度合いがシナジーのカギ

シナジー誕生のカギを握るのは、コミュニケーションの深さ。そのレベルは、左図の3段階に分けられる。

信頼度も協力度も低い場合は、「防衛的コミュニケーション」。お互いに守りに入り、自分が損しないことだけを考えるため、結果は、Win-LoseあるいはLose-Winで終わる。

信頼と協力がやや高まると「尊敬的コミュニケーション」になる。ある程度の相互理解は生まれるが、共感による傾聴には至らないため、解決は妥協によってなされる。だが、信頼と協力の度合いがもっとも高くなると「シナジー的コミュニケーション」が生まれる。それぞれの相違点について深く理解しあい、個々が挙げる成果より大きな成果を生み出せる段階だ。

「第3の案」を生むには忍耐がいる

シナジー的コミュニケーションでは、「第3の案」が生まれる。第3の案とは、どちらも当初は考えていなかった案のこと。それは、対立する意見の「どちらをとるか」ではなく、両者の意見を活かした新しい案。双方が得をするWin-Winだ。

とはいえ、シナジー的コミュニケーションを実践するのは難しいと感じる人もいるだろう。他人の批判ばかりする同僚。強引に意見を押し付けてくる上司。自己主張ばかりする友人。そんな相手の相違点を尊重する気持ちになどなれない。共感するのは無理、と考えてしまうからだ。

しかし、だからといって妥協を選ぶのは危険だ。妥協は、相手の無神経さ、愛情のなさを認めたことになり、後の争いの種になる。たとえどんなに相手と衝突することになっても、自分は自分の原則を守る。自分の人生をどう生きるかは、自分の問題だ。どんな相手に対しても違いを尊重してシナジーを創り出せる。そう信じて、根気よく人と接するからこそ、第3案に到達できるのだ。

コミュニケーションの3つのレベル

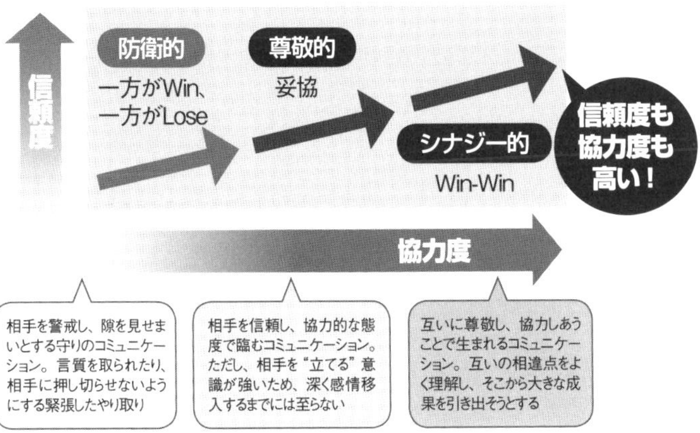
信頼度
防衛的
一方がWin、
一方がLose
尊敬的
妥協
シナジー的
Win-Win
信頼度も
協力度も
高い！
協力度
相手を警戒し、隙を見せまいとする守りのコミュニケーション。言質を取られたり、相手に押し切らせないようにする緊張したやり取り
相手を信頼し、協力的な態度で臨むコミュニケーション。ただし、相手を“立てる”意識が強いため、深く感情移入するまでには至らない
互いに尊敬し、協力しあうことで生まれるコミュニケーション。互いの相違点をよく理解し、そこから大きな成果を引き出そうとする

COLUMN 7

結果のために過程を重視する「P／PCバランス」の考え方

あるところに金の卵を産むガチョウがいた。それを手に入れた農夫は大金持ちになったが、やがてガチョウが卵を１日１個しか産まないことに不満を持ち、卵を一度に手に入れようと、ガチョウを殺して腹を開いてみた。だが、中は空っぽ。農夫は二度と金の卵を手に入れられなくなってしまった――。

コヴィーはこの寓話を「P／PCバランスを考えていなかったせいで起きた」という。Pとは、Performance（成果）で、望む結果や目標達成のこと。PCとは、Performance Capability（成果の能力）で、目標達成のための能力やそれを可能にする資源のことだ。

農夫は、金の卵という結果（P）を急ぐあまり、その卵を産むガチョウという資源（PC）について深く考えず、すべてを台無しにしてしまった。農夫がいい結果を得るために必要なのは、ガチョウを健康に保つ努力を日々続けることだったのだ。

この農夫のように、結果を急ぎ過ぎている人は多い。だが、本当に望む結果を手にするには、それを可能にする能力や資源を育てる長い目を持つことが重要だ。これがコヴィーのいう「P／PCバランス」を考える、という発想だ。

能力（PC）以上の結果（P）は出ない。高すぎる結果を急げば、何も得られずに人生は終わる。得られる結果と能力は、相関しているからだ。

では、「高いPが望めるようなＰＣを得るためにはどうすべきか」を考えると、結局「自分自身を高めるしかない」という結論に行き着く。それを叶えるのが「７つの習慣」なのだ。

Chapter

7

第7の習慣
刃を研ぐ

第1～6の習慣でより大きな成果を出すために、
日々、自分を鍛え、〝切れ味〟を高めていこう。
素材としての自分を高めることで、
それぞれの習慣で得られる実りも自然と大きくなっていく。

クリスマスが終わり
新年
Bar Seven
4日までお休みします。バーセブン
仕事始めの朝――
ん――っ
よし!
菜々味やのバイトも今日からだし
今年1年がんばるぞ!
さて
1年の計は元旦にあり…っと
もう1月5日だけど
YEAR VISION
今年の目標!!
☆カクテル作りを上達させる
☆スコッチの勉強をする
☆新しいバーに50軒行く
お店の売上に貢献す
貯金する
ダイエットす
…
なんか物足りないな…
誰でも考えそうっていうか…
Diary
はっ
!
準備しないと!
Diary

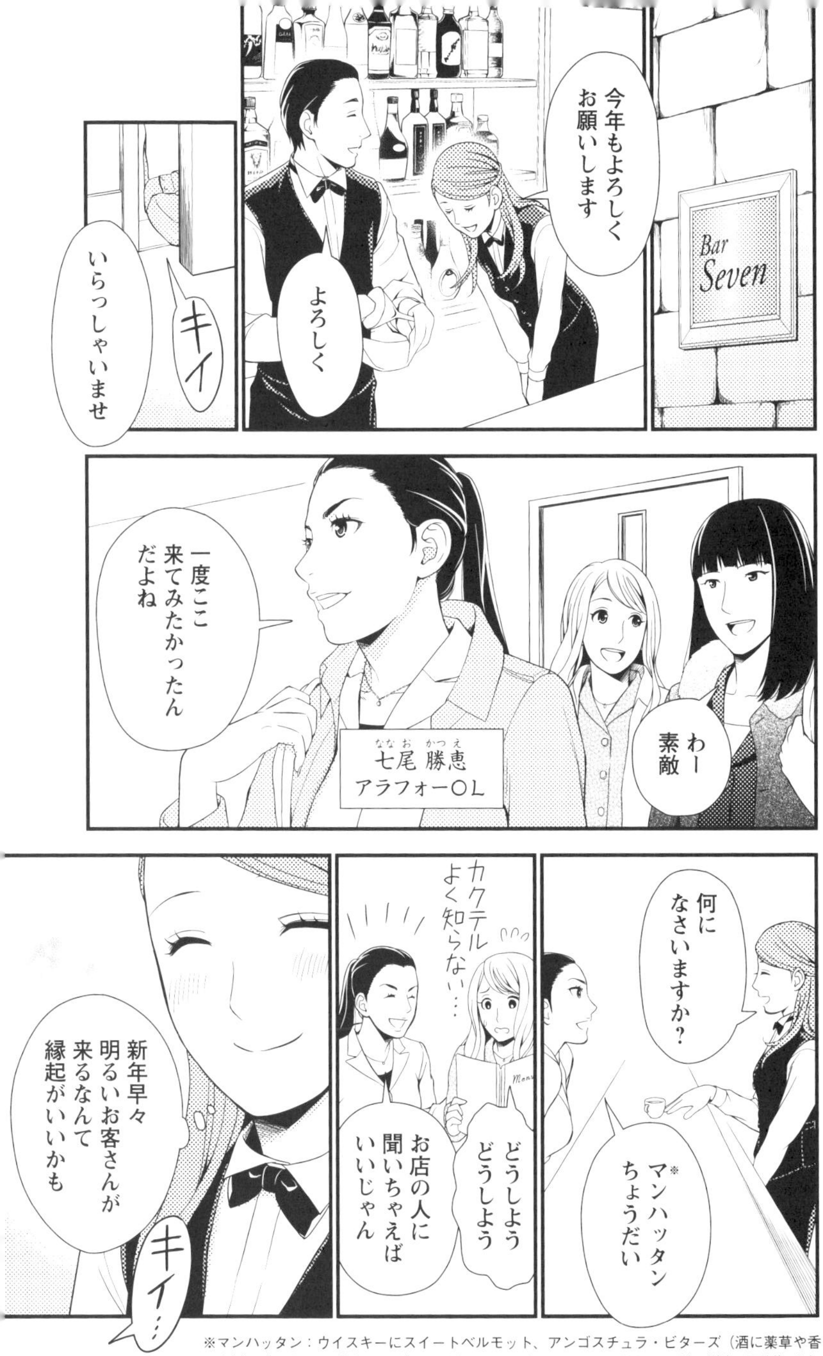

※マンハッタン：ウイスキーにスイートベルモット、アンゴスチュラ・ビターズ（酒に薬草や香辛料を漬け込んだ「ビターズ」の一種で、アンゴスチュラというミカン科の樹木が原料）を加えたカクテル。通称「カクテルの女王」

やあ
あけまして
おめでとう
いらっしゃいませ
今年もよろしく
お願いします
一条さんが
※バラライカ
八神さんが
※ジントニックですね
今日は
どちらかで
飲まれて
来たんですか?
うん
会社の新年会
だったから
若い連中は二次会
この時期やっぱり
部下の目標とか
ヒアリングしたり
するんですか?
うん
上司としては
板挟みを感じて
頭が痛い時期
でもあるね
業績の目標だけなら
部下の尻を叩けば
いいのかもしれない
けれど
私はなるべく
人生の目標みたいなものも
聞くようにしているから…
どちらも目指せる環境で
存分に活躍できるように
してやらんといけない
からね
難しいところだよ

※ジントニック：ジンにトニックウォーターを加えたカクテル。グラスにはライムまたはレモンを飾る

※バラライカ：ウォッカにホワイトキュラソー、レモンジュースを合わせたカクテル。サイドカー（7ページ参照）のバリエーションの1つ

へぇ…
部下思いだな…
歩ちゃんはそういうの考えた？
…ええ
でもなんだかいまひとつピンとこなくて…
ありきたりっていうか…
あなたまだ若いんだからさ
やりたいこといっぱいあるんじゃないの？
自分磨きとか男とか
え？
…男!?
私なんて仕事と遊びとお稽古ごとで忙しいわよ
ええまあ…
あはは
あーでもわかる
最近の男の子って物足りないよねぇ
こないだも「フレンチに行こう」って誘うから一緒に行ったけどワインもろくに選べないんだもん
えーでも私もわかんないかも
まだ2人は若いからいいけどさぁ
ちょっとは勉強しとかないと恥ずかしいよ

お仕事は何をなさっているんですか？
ふふん
まあ部署を1つ任されてるって感じ？
部長も使えないんだもん事なかれ主義でさ
はは手厳しいですね
あらイケメン
そちらのお兄さんは？
ずいっ
八神です
すぐそこのイタリアンレストランでオーナーやってます
もしかしてあのオッターヴァ・ヴォーチェの？
素敵！今度食べに行ってもいいですか？
もちろん…
…じゃお店に出ないといけないからそろそろ…
パタン
七尾さん肉食系ですね

※カリラ：スコッチウイスキーの一種

…
「お前といると疲れるんだよな」
「一緒にやってく自信ないよ」
…なんかさぁ
このまま歳とってくのってつまんないじゃん
「なりたい自分」を目指さないと
短い人生なんだから
『あんたもそろそろ身を固めんと…』
「お母さんもうそんな時代じゃないんよ」
ボッ…
…いいの
私は1人で生きていくから…
？

数日後――
「オッターヴァ・ヴォーチェ」
楽しんでもらえました？
おいしかったです
指輪はナシ…と
…八神さんって結婚されてるんですか？
いやどうして？
八神さんみたいに素敵な人ってどんなタイプの女性が好みなのかなって…
ははそうだな…
自分を磨くことを忘れない人には魅力を感じるかな
日々変わろうとしている人
そんな人は応援したくなるね
わー
七尾さんなんかどんぴしゃですね！
そ そう？
…
そうだろうか…

数日後
Bar Seven
歩ちゃん その後 1年の目標は 決まった？
まだ考え中でして…
…人間にとって「成功」って何だろうか
…
？
人間はどうしても見栄や意地を張ってしまう生き物だ
「こう見せたい」という自分のふりをしてつい背伸びをしてしまうことなんて誰にだってある
ドキッ
だけど後で辻褄が合わなくなって辛くなるのは自分なんだよね
人に「優れた自分」として接したいのなら自分自身を高めてその姿で人とありのまま接するほうが本当はよほど楽なはずなんだ
見せかけじゃない自分を磨くっていうことですかね
でもそれって大変そうだな

1日1歩でいいんだ 前に進むのは
それを習慣にして 5年、10年続ければ
積もり積もって その差はとても 大きくなりますね
ああ それが「習慣」の力なんだ
習慣…
成功って 出世するとか 年収を上げるとか 独立するとか 有名になるとか そういうこと ではないと思う
俺は「素晴らしい1人の人間になること」こそが 人生の一番の成功なんじゃないかと最近思うんだよ
日々 自分は中から 変わる用意があるか それがすごく大切なんだと思う

自分という道具に投資することが「刃を研ぐ」習慣なのである。
…効果的な人生を生きるためには、
定期的に四つの側面すべての刃を研ぐ時間をつくらなければならない。

――『完訳 7つの習慣 人格主義の回復』P.426――

歳を取ると人間はどんどん保守的になってしまうからなぁ
〝中から〟変わるっていうのが難しいね
ええ
運動も勉強もいまはファッションでしている人が多い気がします
本当に自分を成長させる知識を身につけたり自分を見つめ直す時間を作ったりってことか
八神くんは何かやってるのかい？
ええ
ジョギングしたり毎日勉強のために本を読んだりしてますよ
いまは行動経済学の本を読んでます
これがまた面白くて――
？
なんだか意外ね
私は最近自分をリセットする時間をとるようにしたわ
夜5分くらい何も考えないでじっとするだけなんだけど
頭がスッキリして調子がいいのよね
へぇ
じっ…

僕のような立場だと誰も進むべき道を教えてくれないですからね
自分で考えて道を探していかないと
会社勤めの人間も本当はそうなんだけどね
上の人間の言うことに従えば昇進はするかもしれないがそれだけではただ「その会社のエキスパート」になれるだけだから
本物のリーダーシップとかを身につけられるかどうかは…
そうですか…
…歩ちゃん
より深い人生の目標が見つからないと言うのなら
1日に少しでも本を読むことから始めてみたら？
人生について考えられるいい本はいろいろあるからさ
紹介してあげるし
…
数日後——

「素晴らしい人間になることこそが本当の成功なんだ」
カッ
カッ
「進むのは1日1歩でいいんだ」
カッ
カッ

一日のうちわずか一時間を自分の内面を磨くことに使うだけで、
私的成功という大きな価値と結果が得られるのである。
あなたが下すすべての決断、あらゆる人間関係に影響を与えるだろう。
…長期的に肉体、精神、知性を日々鍛え、強くし、
人生の難局に立ち向かい乗り越えられるようになるのだ。

——『完訳 7つの習慣 人格主義の回復』P.439——

七尾さーん
おはようございますー
今週末は何するんですか？
遊びの予定なら連れてってくださーい
ううん 今週は特に
ちょっとゆっくり考えてみたいことがあってさ
えー 珍しい
ま まあ たまにはね
そういうのもういいかなって

BOOKS
自己啓発
完訳
7つの習慣
自分自身と一つになること、
愛する人たちや友人、
同僚と一つになることが
「7つの習慣」の最高で最良、
もっとも実りある果実である。
…種を蒔き、
辛抱強く雑草を抜き、
大切に育てれば、
Bar Seven
本当の成長の喜びを
実感できるようになる。
そしていつか必ず、
矛盾のない効果的な生き方という
最高の果実を味わえるのである。
——『完訳 7つの習慣
人格主義の回復』P.471——
いらっしゃいませ——

Chapter 7-1

日々、自分の器を育てよう

4つの側面でバランスよく刃を研ぐ時間をとる

第7の習慣は「刃を研ぐ」。体調（肉体）、観点（精神）、自律性（知性）、つながり（社会・情緒）の4つの側面でバランスよく刀を研ぐ時間をとる習慣だ。

肉体的側面で刃を研ぐとは、運動によって身体をメンテナンスすること。持久力、柔軟性と強さという3つを意識する。健康な体なら、第1の習慣「主体的である」も続けやすい。

精神的側面で刃を研ぐとは、自らの価値観を深く見つめること。第2の習慣で行う自分への反省と関係している。読書や音楽鑑賞、自然の中に身を置くことなどで、自分の心と向き合うようにする。

知的側面で刃を研ぐとは、情報収集力や選択力を磨くこと。第3の習慣に基づき、自分の目的や価値観に合った番組や優れた本を読むようにする。自分の考えや経験を日記に書くのもいい。

社会・情緒的側面で刃を研ぐとは、人間関係においても自分の価値観に忠実に振る舞うこと。仕事やボランティアによる社会貢献などの活動で、公的成功を目指す第4、第5、第6の習慣のために必要なことだ。

7つの習慣はシナジーでより高い成果を生む

コヴィーは、第7の習慣がもたらすものは、「4つの側面（肉体、精神、知性、社会・情緒）の再新再生《リニューアル》」だという。つまり、人間としての刷新が期待できるというのだ。それは、自分自身が鍛えられ、自分の価値が高まれば、そのぶん人の支えになることもできる。人の支えになれば、また新たな自分の価値に気付く。こうして自分の活動自身がシナジーになるからだ。

第7の習慣は、第1〜6の習慣と切り離して考えても意味がない。〝自分磨き〟に余念のない人が壁にぶつかるのは、第1〜6の習慣が十分に身に付いてないからだ。第1〜6の習慣を心掛けながら、第7の習慣を続ける。そうすることで、上へ向かう螺旋《らせん》のように自分が高まる好循環が生まれる。7つの習慣を通して、自分の人生を自分で変えることができるのだ。

自分自身を磨く（刃を研ぐ）ための活動例

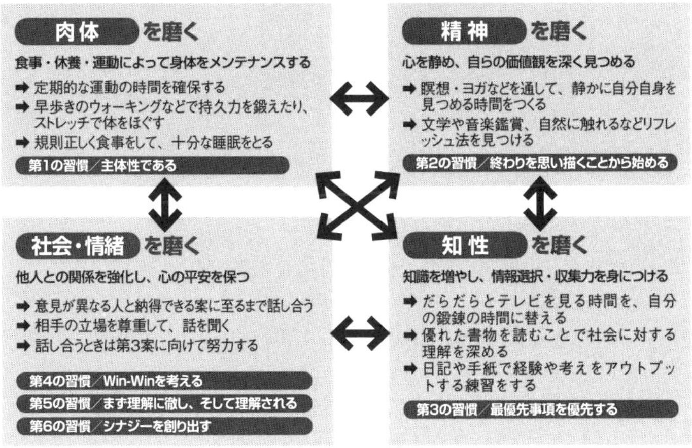

肉体を磨く
食事・休養・運動によって身体をメンテナンスする
➡ 定期的な運動の時間を確保する
➡ 早歩きのウォーキングなどで持久力を鍛えたり、ストレッチで体をほぐす
➡ 規則正しく食事をして、十分な睡眠をとる
第1の習慣／主体性である
精神を磨く
心を静め、自らの価値観を深く見つめる
➡ 瞑想・ヨガなどを通して、静かに自分自身を見つめる時間をつくる
➡ 文学や音楽鑑賞、自然に触れるなどリフレッシュ法を見つける
第2の習慣／終わりを思い描くことから始める
社会・情緒を磨く
他人との関係を強化し、心の平安を保つ
➡ 意見が異なる人と納得できる案に至るまで話し合う
➡ 相手の立場を尊重して、話を聞く
➡ 話し合うときは第3案に向けて努力する
第4の習慣／Win-Winを考える
第5の習慣／まず理解に徹し、そして理解される
第6の習慣／シナジーを創り出す
知性を磨く
知識を増やし、情報選択・収集力を身につける
➡ だらだらとテレビを見る時間を、自分の鍛錬の時間に替える
➡ 優れた書物を読むことで社会に対する理解を深める
➡ 日記や手紙で経験や考えをアウトプットする練習をする
第3の習慣／最優先事項を優先する

COLUMN 8

人間を偉大にする「第8の習慣」“内面の声(ボイス)を発見する”とは?

「7つの習慣」の後にコヴィーが提唱した「第8の習慣」は、リーダーが「偉大さ」を身に付けるための習慣だ。

人が人の偉大さを認めるのは、情熱あふれる行動や、大きな貢献を見たとき。その言動を引き出すのが「第8の習慣」。人を動かす存在感、魅力、カリスマ性を身に纏《まと》うための習慣といってもいい。必要なのは「自分のボイス（心の声）を発見すること」。人はボイスに気付けば生きる使命を見出す。才能を活かし、情熱的に、満足しながら、良心にも適う誇れる仕事ができるようになる。そういう人は、自然と周囲を巻きこんでいく。

ボイスを見つける力は誰もが持っている（下図)。「選択する自由と能力」とは、自分で自由に行動を選択する力。「原則」とは、誠実さ、公正さ、敬意など、普遍・不変的に価値のある人間関係のルールのこと。社会的・慣例的なベールで覆って本質を直視するのを避けたりせず、自然に従うことが大切だ。4つの「インテリジェンス」とは、①頭を正しく使う能力、②身体を健全に使う能力、③ビジョンを抱き幸せを追求する能力、④バランスのとれたコミュニケーションを行う能力ともいえる。

この力を適切に用いることで、「自分とは何者か」が心の内から聞こえてくる、とコヴィーはいう。

ボイスの発見のために必要な〝3つの力〟

***1.*選択する自由と能力**
***2.*原則（自然の法則）**
***3.*生まれつき人が持っているインテリジェンス**

①知的インテリジェンス、②肉体的インテリジェンス、
③精神的インテリジェンス、④社会・情緒的インテリジェンス

さくいん付

「7つの習慣」がわかる“厳選”用語集 30

あ行

インサイド・アウト　P24

自分のパラダイムや人格、動機を反省し、自らの行動を変えることで問題を解決し、結果を得ようとする考え方。自分の影響の輪を広げることで人間関係や組織を改善しようとするアプローチ方法。

影響の輪　P46

自分の発言や行動によって、影響できる物事の範囲のこと。意識して行動を選択し、周囲に働きかけることで、自分の影響の輪は、広げていくことができる。

か行

原則　P25・68・70・172

この世界に普遍的、不変的に存在する法則。原則は人が意識しなくても宇宙に存在し、誰に対しても適用される。自然の法則、基礎的な真理。

公的成功　P26・114

コミュニケーションを通して、周りに影響を与える人となること。私的成功による自立を超え、相互依存に達すること。

さ行

私的成功　P26・114

自己克服と自制のプロセスで、個人の信頼性を確立すること。第1、第2、第3の習慣を身につけて、自分の考え方、姿勢を改善することにより、自分自身が依存から抜け出し、自立すること。

シナジー　P150〜153

別々の物が合わさることで、その合計より大きな成果が得られること。妥協点ではなく、第3の案を生み出すこと。

習慣　P23

人が無意識に繰り返し行う行動のこと。習慣は「知識」「スキル」「意欲」の3要素を支えにして意図的、継続的に行動していくことで身に付けられる。つまり、習慣は意識して変えられる。

人格　P22・112

信頼関係を築き、本当の成功を得るために磨くべき誠実さや人柄などのこと。人格が認められれば長期的、持続的に評価される。

信頼口座　P114

相手からの信頼度合いは、信頼口座の残高で決まる。信頼口座の残高は、約束を守ったり相手を気づかうことで増え、無礼だったり不誠実な態度を取ったりすることで減っていく。

相互依存　P26

「私的成功」を通して人間同士がお互いを尊敬し、違いを認め、高いレベルで信頼し合うこと。お互いの力を発揮し合うことで、大きな成果を生み出すことができる。

シナジー的コミュニケーション　P152

お互いに信頼し合い、協力しようという気持ちを非常に強く持つことによるコミュニケーションのスタイル。互いの相違点について深く理解し合い、協力して大きな成果を生み出せる。

率先力　P45

自分が他者の刺激となって、その人の行動を促していく力。自らの責任で行動することで生まれる周囲への影響力。

た行

第1の習慣（主体的である）　P27〜47

人間として自分の人生に対する責任を取ることで、他人や環境に流されることをやめ、自覚して自身の行動を選択すること。

第2の習慣（終わりを思い描くことから始める）　P49〜69

自分自身にリーダーシップを発揮することで、人生の終わりを意識し、どんな人生を送るかの方向性をイメージし、それを実践すること。そのための「原則」を持つこと。

第Ⅱ領域　P89・90

緊急度が低いが、重要である案件が属する領域。将来の成長に役立つ活動のことで、ミッション・ステートメントを考えたり、運動で体力アップを図ることなど。

第3の習慣（最優先事項を優先する）　P71〜91

ビジョンに基づく役割と目標を反映させたうえでスケジュールを立て、緊急でないが重要な活動をもっと増やすように努力すること。時間をつくるために、仕事を人に任せる技術も必要となる。

第4の習慣（Win-Winを考える）　P93〜113

Win-Win（自分も勝ち、相手も勝つ方法）を考えること。双方に利益をもたらすもっとも喜ばしい解決策を導き出し、信頼感を深めるようにすること。

第5の習慣（まず理解に徹し、そして理解される）　P115〜133

自分を理解してもらうために、自分の主張や相手の批判より先に、相手の考え方を理解することから始めること。相手の言葉に耳を傾け、相手の目線で世界を見るようにすること。

第6の習慣（シナジーを創り出す）　P135〜153

お互いの妥協点を探るのではなく、お互いの相違点を生かす発想を持つこと。お互いがよりよい状況へと改善できるように努めること。

第7の習慣（刃を研ぐ）　P155〜171

第1〜第6の習慣の効果をさらに発揮させるために、自分への投資を日々続けること。自分自身の肉体、精神、知性、社会・情緒を再新再生（リニューアル）させること。

第8の習慣（ボイスを発見する）　P172

7つの習慣に、質的な奥行きをもたらす力で、才能、情熱、満足、良心といったボイス（自分の内面・心の声）に従って、実行すること、また他人がボイスを発見できるように手伝うこと。

デリゲーション　P92

委任、委託という意味で、自分の仕事を他の人に任せる方法。目標達成のための手段の選択は相手に任せ、結果の責任を問うようにする。能率より効果を重視するといい。

は行

パラダイム　P24

物事を理解するうえで、無意識に前提としてしまっている考え方や価値観などのこと。他人の意見やパラダイムに耳を傾けることにより、同じ事象をそれまでとまったく違う解釈、視点によって捉え直す「パラダイム転換」が可能となる。

ま行

マネジメント　P67・91

時間配分や重要性、効率を考え、行動するように指示すること。物的創造に必要なもので、第3の習慣と密接なつながりを持つ。

ミッション・ステートメント　P70

人生で何が大切で、自分がどうなりたいかを宣言すること。また、その内容。自分自身の〝憲法〟のような基本的原則。

や行

豊かさマインド　P112

すべての人が満足する道を考えようとする姿勢。誰かの幸せは自分の不幸せの原因、とは考えず、幸せとはともに、同時に新しく生み出していける、という意識。

ら行

リーダーシップ　P67

実践の前に、何の目的やミッションに向かって行動すべきかを考察すること。行動する前に行う知的創造に必要なもので、第2の習慣と深く関連している。

A~Z行

No Deal　P111

取引しないという選択肢。互いの価値観や目標が大きく異なる場合や、一方に不満が残る取引は、長続きしないし、相互不信を招くため、そもそも取引しない、という考え方。第4の習慣では、Win-Win、またはNo Dealが理想とされる。

P／PCバランス　P154

PとPCのバランスのこと。Pは「成果」で、望む結果や目標達成のこと。PCは「成果を生み出す能力」で、望む結果を得るために必要な資源と能力のこと。望む結果を得るには、Pを常に意識してやる気を維持しながら、PCを高めるというバランスが重要である。

Win-Win　P110~113・131

自分も勝ち、相手も勝つ。つまり、自分も相手も望む結果を得られる関係を築くこと。意見が異なる場合に、片方だけが優勢な案でなく、両者が納得する第3の案を発見すること。

Profile

〔まんが〕

小山 鹿梨子（こやま・かりこ）

まんが家。『別冊フレンド』（講談社）の読み切り「保健室の鈴木くん」でデビュー。主な作品に『もやし男と種少女』、『シェリル キス・イン・ザ・ギャラクシー』（全４巻）、『校舎のうらには天使が埋められている』（全５巻、いずれも講談社）など。

http://www41.tok2.com/home/abgata/

〔監修〕

フランクリン・コヴィー・ジャパン

「７つの習慣」をベースとしたセミナー・研修を展開。企業の各種セグメントを対象に、リーダーシップ向上、生産性向上、組織の実行力向上などを目的とした指導を行う。教育方面では、中学・高校への「７つの習慣」の導入・定着支援により、生徒の行動力や目標達成力などを高める貢献も積極的に実施している。

http://www.franklincovey.co.jp

～スティーブン・R・コヴィーについて～

スティーブン・R・コヴィー（Stephen Richards Covey）は、世界でもっとも影響力のあるビジネス思想家の１人で、リーダーシップ論の権威。ユタ大学、ハーバード大学 経営大学院などで学び、教職を経て「７つの習慣」をはじめとするリーダーシップ論を提唱。1989年、ビジネスコンサルタント会社「コヴィー・リーダーシップ・センター」を設立。1997年に合併し、「フランクリン・コヴィー社」の副会長となる。以後、世界各国の政府や企業のリーダーに対し、広くコンサルタントとして活躍。日本では、著書『７つの習慣 成功には原則があった！』（ジェームス・スキナー、川西 茂 訳）、『第８の習慣「効果」から「偉大」へ』（フランクリン・コヴィー・ジャパン 編、いずれもキングベアー出版）などで話題となった。2013年、『完訳 ７つの習慣 人格主義の回復』（フランクリン・コヴィージャパン 訳、キングベアー出版）が刊行され、新たに注目を集めている。ユタ州立大学商経学部終身教授。2012年７月、79歳で永眠。

まんがでわかる
７つの習慣

2013年10月25日　第１刷発行
2022年 4月20日　第42刷発行

監修　フランクリン・コヴィー・ジャパン
発行人　蓮見清一
発行所　株式会社 宝島社
〒102-8388　東京都千代田区一番町25番地
電話：営業 03-3234-4621／編集 03-3239-0646
https://tkj.jp
振替：00170-1-170829　㈱宝島社

印刷・製本　サンケイ総合印刷株式会社

ISBN978-4-8002-1531-4